Au large

DU MÊME AUTEUR

Dégradation, Seuil, 2018.
Noir comme le jour, Seuil, 2020.

BENJAMIN MYERS

Au large

_____

ROMAN

Traduit de l'anglais (Grande-Bretagne)
par Madeleine Nasalik

TITRE ORIGINAL
The Offing

ÉDITEUR ORIGINAL
Bloomsbury Publishing Plc

© Benjamin Myers, 2019

POUR LA TRADUCTION FRANÇAISE
© Éditions du Seuil, 2022

Pour Adelle

J'ai quitté mon vieux logis, mon chez-moi,
Les vertes pâtures et chaque lieu qui m'était
doux ;
L'été comme une inconnue approche,
J'hésite, c'est à peine si je reconnais ses traits.

John CLARE, « La Clef des champs »

Où donc la vie a-t-elle filé ?

Pas un jour ne passe sans que je me surprenne à poser cette question au miroir, toujours la même, et pourtant la réponse se dérobe à chaque fois. Je ne trouve dans le reflet qu'un inconnu qui me renvoie mon regard.

Alors je gagne d'un pas traînant la cuisine, où je me prépare du thé, je mange à la cuillère ma bouillie d'avoine et je marmonne une formule – jamais tu ne seras aussi jeune qu'en cet instant – qui sonne creux dans ma bouche. Impossible de duper le temps, ou de me duper moi-même. En cet instant je suis vieux, je vais rester vieux, et vieillir encore.

À force de racler le parquet mes pieds ont fini par entamer la peinture, ils portent en eux la douleur du million de miles arpenté au cours de ma vie, et les lames de bois sont désormais gondolées comme la coque d'une galiote échouée et la prairie s'est ensauvagée elle aussi, au rythme imprimé par la débâcle des jours et la contraction des saisons. Ici des étés qui se comptent sur les doigts d'une main, là-bas quelques hivers longs et tristes ; les coups de pouce de la providence, le déshonneur, la maladie, un peu d'amour, une pincée de chance et, soudain, on se retrouve l'œil collé au mauvais bout de la lorgnette.

J'ai mal partout ces derniers temps, pas seulement aux pieds. Aux jambes, aux mains, aux yeux. Les poignets et les doigts esquintés par une vie passée à marteler les touches de mon clavier. Une douleur me ronge la nuque en continu et ce petit miracle, que mon corps ait réussi à tenir aussi longtemps, m'émerveille. J'ai parfois le sentiment que s'il n'a pas lâché, c'est qu'il est retenu par les tendons de la mémoire et les ligaments de l'espoir. Le cerveau, ce poussiéreux musée.

Mais j'ai été jeune autrefois, jeune et vert, et cela, nul ne peut revenir dessus. Et les souvenirs me permettent de revivre cette jeunesse.

J'ignorais le pouvoir des mots à cette époque. Je n'avais pas encore exploré leur portée et leur puissance. La magie complexe du verbe m'était aussi étrangère que le paysage ravagé traversé cet été-là. Aujourd'hui, une présence insidieuse grandit en moi ; ses racines s'enfoncent au plus profond. Comme du lierre qui s'insinue par le coin d'un mur, trouve une prise et resserre l'étau. Je suis un hôte passif. Harassé, je me résigne et, abandonnant la lutte, je m'adosse à ma chaise et je me demande où la vie s'est enfuie. Et j'attends.

La table à laquelle j'écris a vu des jours meilleurs, la chaise par deux fois rechevillée et recapitonnée grince. De temps en temps le vieux poêle à bois refoule, la gouttière est bouché par un tapon de mousse. Un carreau est fêlé et bientôt je vais devoir faire appel à un couvreur pour qu'il répare le toit. Il faudrait tout retaper, du sol au plafond, mais je suis trop usé pour me lancer dans un chantier pareil ; la bicoque et ce qu'elle contient me survivront. Le traitement de texte obsolète fonctionne toujours, ce qui n'est pas rien. La bête bouge encore, cela vaut aussi pour moi, et il y a de l'électricité, alors ne boudons pas notre plaisir, d'autant plus que j'ai une histoire à raconter.

Assis près de la fenêtre ouverte, un glissando de pépiements porté par une brise légère chargée du parfum d'un nouvel été, le dernier, je m'accroche à la poésie comme je m'accroche à la vie.

I

La baie se déployait devant moi, immense bassin glaciaire sculpté des centaines de milliers d'années plus tôt par le sérac fracturé et l'écoulement goutte à goutte de l'eau.

Abordant l'échancrure par le nord, j'ai embrassé du regard un amphithéâtre monumental au creux duquel se blottissaient des fermes et des hameaux, relié à la lande violacée par un entonnoir avec, en aval, des champs qui s'élançaient vers une mer d'opale dominée par un ensemble de bâtisses en équilibre précaire, éparpillées dans une crevasse. Une étroite bande de sable scintillant les isolait de l'eau. Un ruban de bronze.

Ces maisons se dressaient au petit bonheur au-dessus du jusant sur une falaise de terre meuble et de glaise humide qui se désagrégeait sous l'action lente et conjuguée des embruns et de l'érosion. Elles évoquaient des marins naufragés, jetés sur ces côtes par les tempêtes des siècles passés. Le temps lui-même s'effritait sur ces lointains rivages, remodelant l'île en ces lendemains remplis d'incertitude.

J'ai pensé que la mer avait pour fonction de nous rappeler la finitude du monde matériel, et les véritables frontières ne sont ni les tranchées, ni les abris antiaériens, ni les checkpoints, mais ce qui sépare la roche de la mer et la mer du ciel, purement et simplement.

À ce moment, j'ai fait halte au bord de la route pour remplir ma gourde à une source qui alimentait un abreuvoir en pierre, saisi de l'impression que mes pas m'avaient conduit dans un tableau. Le soleil était un disque qui inondait de sa chatoyante blancheur un décor disloqué et j'ai compris, sans doute pour la première fois, l'élan qui poussait l'être humain à saisir un pinceau ou composer un poème : celui d'attraper au vol cette sensation qui fait battre le cœur plus vite, cette *immédiateté* éveillée par un panorama aussi somptueux qu'inattendu. L'art en tant que démarche visant à sauvegarder l'ambre du présent.

L'eau fraîche coula au fond de ma gorge comme une cordelette de soie et rafraîchit quelques instants mon estomac, s'accumulant au-dedans. Il n'est d'eau plus savoureuse que celle qu'on puise inaltérée et qu'on boit à même le métal ; timbale, louche ou goulot, peu importe, inexplicablement le goût s'en trouve relevé.

J'ai avalé une grande lampée et mis mes mains en conque sous l'eau, la recueillant au creux de mes paumes rosies, puis je me suis tapoté le front, le visage, le cou. J'ai aussi rempli ma gourde avant de reprendre la route.

Le pays avait traversé une guerre et même si les armes s'étaient tues les combats faisaient toujours rage chez les hommes et les femmes qui étaient rentrés au pays, la mort dans leur sillage.

Elle se poursuivait au fond de leurs yeux, ou elle pesait de tout son poids sur leurs épaules comme un manteau imbibé de sang. Elle s'épanouissait aussi dans leur cœur, fleur funeste solidement enracinée, indélogeable, dont les graines étaient trop toxiques, trop coriaces, pour que la mémoire distille autre chose qu'un éternel poison.

Les effets d'un conflit se font sentir longtemps après le cessez-le-feu ; le monde donnait l'impression d'être criblé de cratères. À moi, il m'apparaissait comme un endroit couturé de cicatrices, fracassé, que ceux qui nous gouvernaient avaient vidé de son sens. Tout n'était plus que ruines et cendres.

Je n'étais ni assez âgé pour m'être illustré au front ni assez jeune pour avoir échappé aux images des actualités filmées ou aux longues ombres tragiques que nos anciens combattants traînaient derrière eux comme ils auraient traîné un cercueil vide. Car personne ne sort jamais vraiment vainqueur d'une guerre : certains y perdent un peu moins que d'autres.

J'étais enfant à l'entame de la guerre, au seuil de l'âge adulte quand l'armistice fut signé, et les séquelles étaient partout apparentes, la tragédie suspendue à la façon d'un nuage immense et menaçant au-dessus de l'île, et aucun des drapeaux qui pavoisaient les rues, aucune des médailles épinglées à la poitrine des survivants secoués de sanglots, ne changerait quoi que ce soit à l'affaire.

Ne pas prendre pour argent comptant ce que racontent les livres d'histoire : la victoire alliée laissait un arrière-goût amer et les hivers qui la suivirent, avec leur froid cruel, n'eurent rien à envier aux hivers qui la précédèrent. Les éléments ont beau être indifférents à la folie humaine, même le blanc immaculé de la neige serait désormais souillé pour ceux qui avaient vu les premières images des barbelés et des charniers.

Pourtant, aux yeux de la jeunesse, la guerre était une abstraction, un souvenir distant qui s'effaçait déjà. Ce n'était pas *notre* guerre. Pas question qu'elle gâche *nos* vies, des vies à peine entamées.

Dans mon cas, elle avait éveillé une envie de partir à l'aventure, de voir le monde, qui me poussait à projeter mon regard au-delà de ma rue, où les dalles de la chaussée cédaient la place aux champs et où le Nord industriel de l'Angleterre s'étirait sous la brume d'un matin dont la douceur annonçait une saison féconde, afin d'explorer ce qui se déployait derrière ce mirage miroitant, transformant l'horizon en un océan onduleux de verts en plein épanouissement.

J'avais seize ans, j'étais libre, et j'avais faim. Faim au sens littéral, comme tout le monde – notre pays subissait de longues années de pénurie –, mais mon appétit ne se limitait pas à la nourriture. Ceux qui avaient reçu ce don qu'était la vie considéraient l'instant présent comme un vase précieux qui attendait qu'on le remplisse de choses vues, d'expériences nouvelles. Le temps était devenu une denrée prisée ; nous en avions en abondance, contrairement au reste, même si nous avions appris de la guerre que c'était là aussi une ressource limitée, et l'employer à tort et à travers ou le gaspiller, une offense irréparable.

Nous étions jeunes et c'était pour ces pauvres bougres fauchés sur un sol étranger, ou abattus dans le ciel comme des perdreaux massacrés le jour de l'ouverture de la chasse, ou encore ces malheureuses âmes étiolées qui avaient fini à la fosse commune, que nous vivions à présent.

L'existence était là, à portée de main, et ne demandait qu'à être avalée avec une envie vorace. Engloutie, goulûment dévorée. Les sens en éveil, l'appétit insatiable, j'avais pour obligation morale, vis-à-vis de moi-même et de mes compatriotes, ceux qui avaient péri en appelant leur mère ou noyés dans leurs propres entrailles, de croquer dedans à pleines dents.

Ce qui exerçait sur moi la plus forte attirance, c'était la nature, dans laquelle j'avais l'intention de m'immerger pleinement. Mes lectures m'avaient appris que le nord du pays offrait une profusion de prairies et de forêts, de landes et de plateaux, de vallées et de cuvettes, qui abritaient une flore et une faune spécifiques et je n'avais qu'une hâte, les étudier de mes yeux écarquillés par la curiosité.

Chez moi, j'avais épuisé le champ des possibles. J'avais diligemment consigné les occasions où j'avais observé des oiseaux de passage, migrateurs ou autres. J'avais constitué une modeste collection d'ossements et de crânes, soigneusement grattés et nettoyés, que je conservais dans un coffre à thé à côté de la réserve à charbon en béton, près de la porte de derrière, car il était pour ma mère hors de question que je garde cela à la maison. J'avais pris des poissons et des furets, piégé des rats et posé des collets et, une fois, volé dans son nid l'œuf d'un corbeau en haut d'un escarpement, bien que je n'en sois pas particulièrement fier, et j'avais très vite ressenti un malaise à l'idée qu'on puisse tuer des animaux pour passer le temps, qu'on les chasse pour le frisson que la chasse procure. Les perturber dans leur habitat me semblait criminel. J'avais passé une vaste partie de mon adolescence perché dans des arbres et pourtant je m'étais lassé de ces paysages, toujours identiques, du cycle routinier des saisons. Je comptais élargir mon expérience à ce qui existait ailleurs, au-delà des limites du village de mineurs tapi dans ces champs vallonnés, quelque part entre mer et ville. J'avais envie que la vie me surprenne. C'est seul, en pleine nature, que j'avais enfin commencé à cerner ma véritable identité ; le reste de mes journées se partageait entre le vacarme de la cour de récréation et les ordres des professeurs, les corvées ménagères et des divertissements qui ne volaient pas très haut.

J'avais pris la route au printemps, bouillant d'impatience, mon paquetage contenant le strict nécessaire à un périple qui n'avait pas vocation à s'éterniser : sac de couchage, couverture et tapis de sol, vêtements de rechange. Deux petites casseroles, une timbale, ma gourde, mon canif, une fourchette, une cuillère et une assiette. Une truelle pour les besoins naturels. Pas de carte routière.

Pas besoin de rasoir non plus.

À cela s'ajoutaient un carnet et un crayon, une savonnette, une brosse à dents et des allumettes, ainsi qu'une guimbarde, cadeau que mon grand-père avait assorti de ce sage conseil : quand on sait jouer d'un instrument, on est toujours assuré de pouvoir gagner une piécette, car dans la mentalité anglaise, l'effort compte plus que le talent et il suffit de *tenter le coup*, et même si je ne m'étais pas encore initié, en autodidacte, à cet instrument étrange aux sonorités obsédantes, j'en avais la ferme intention. Je savais qu'au bout des pistes et des sentiers sur lesquels j'allais cheminer m'attendraient de longues heures d'oisiveté ainsi que de nombreuses soirées solitaires dont le silence serait sans doute adouci par quelques notes de musique, même si l'interprétation s'annonçait calamiteuse, pour ne pas dire cacophonique.

Le matin du départ ma mère voulut coûte que coûte glisser dans mes affaires un paquet contenant d'épaisses tranches de jambon, du fromage, des pommes et un petit pain assez dodu, emballés dans un gant de toilette qu'elle me fit jurer sur ce que j'avais de plus sacré d'utiliser au moins une fois par jour.

Le froid était encore mordant quand j'ai quitté l'ancienne cité pour gagner la rivière que dominaient les tourelles de l'imposante cathédrale fièrement dressée sur son promontoire naturel. Me laissant guider par l'eau paresseuse, j'ai remonté le courant à travers un ravin boisé puis, arrivé au bout, je me suis lancé dans l'inconnu.

J'ai passé les trois quarts de ma jeunesse à regarder par la fenêtre d'une salle de classe, les yeux dans le vague, à rêver d'une vie vécue en dehors de ces murs et à attendre que la cloche retentisse dans les couloirs pour pouvoir courir à travers champs, libre.

Et voilà qu'enfin il était là, autour de moi, ce pays des merveilles qui m'enveloppait, cet épanouissement tous azimuts qui vibrait du roucoulement musical des pigeons ramiers et du chahut des piverts en pleine action, où flottait le parfum de la jacobée, des balsamiers et, par-delà les arbres dans les prairies en pente douce, le musc grisant et narcotique du colza.

Les hirondelles et les martinets quitteraient bientôt l'Afrique septentrionale pour revenir passer l'été ici, au nord de l'Angleterre, centre du monde donc, dans cette contrée verdoyante et fertile dont les parfums exubérants étaient capables d'étourdir un jeune gars.

Sur les berges poussait de l'ail des ours qui poivrait l'air. Sans m'arrêter, j'ai cueilli des feuilles semblables à du cuir et je les ai mâchonnées, savourant leur goût brut et riche, leur texture visqueuse. Comme de l'huile, presque.

J'ai faussé compagnie au Wear parce que je savais que cette route m'emmènerait vers l'ouest, jusqu'à Wolsingham, Westgate et Wearhead, sur les hauteurs, là où le fleuve, racontait-on, jaillissait gazouillant du sol, à peine plus qu'un gargouillis, et plus rien au-delà, hormis des hameaux baptisés Cowshill ou Corniriggs. Difficile de trouver du travail par là-bas.

Mes pas me conduisirent tantôt sur des chemins de terre, tantôt sur des chaussées au bitume tiédi par le soleil. J'ai longé des carrières abandonnées, gouffres percés dans la terre, déchiquetés comme une gencive béante après l'extraction d'une dent. Je me suis frayé un passage entre les vestiges rongés par la rouille de la voie ferrée, les rails des mines d'étain et des ardoisières. J'ai découvert des usines de gypse à l'arrêt et des trouées où gisaient des tourets et des wagonnets renversés, mais il n'y avait pas d'autres traces d'activité humaine. Je m'éloignais le moins possible des bois et des clairières, des prairies et des vallées.

Je trouvais du travail là où la route m'emmenait, dans des fermes ou de petites exploitations. À la pièce, généralement, et des petits boulots de bricolage dans des maisons isolées, car on ne comptait plus les familles qui avaient perdu l'homme du foyer, ou qui l'avaient vu rentrer au bercail, épuisé, délabré ou détruit, avec des pièces manquantes, comme un puzzle d'occasion. Rares étaient ceux qui avaient pu revenir en pleine possession de leurs moyens, physiques et mentaux, et reprendre leur vie comme si de rien n'était, et même si la plupart des vétérans avaient le corps valide, c'était leur mental qui flanchait.

Dans ces foyers-là on avait toujours besoin de bras jeunes et vigoureux pour accomplir les tâches que ces hommes, s'apparentant à des jouets cassés, n'étaient désormais plus en mesure d'effectuer. Seules quelques portes auxquelles j'ai frappé sont restées closes. Derrière elles je découvrais des survivants renfermés sur eux-mêmes, témoins de choses qu'on avait peine à concevoir. La guerre était en un sens une maladie qui avait le temps pour unique remède, et nombre de cas étaient incurables.

J'ai poursuivi résolument ma route jusqu'à ce carrefour où Durham rejoint le comté de Cumbrie et où Cumbrie et Yorkshire du Nord échangent une poignée de mains, l'industrie locale reposant encore sur l'extraction de l'étain et de l'ardoise, des troupeaux de moutons paissant été comme hiver sur les coteaux de la lande balayée par le vent, ces bêtes dont le manteau de laine était tondu à la belle saison et qu'on devait sortir des congères durant les interminables mois de grand froid. C'était un paysage différent de celui auquel j'étais habitué – un bas-relief défiguré, lui aussi, mais ces cicatrices agressaient moins l'œil, en un sens. La nouveauté de l'inconnu me montait à la tête. Même les bruits de la nature s'écartaient de ce que je connaissais : les étendues désertes de la lande étaient peuplées de chuchotis qui ne rappelaient en rien le fracas et la clameur de la vie des gueules noires. Une terre empreinte de légendes. C'était galvanisant.

Dans l'une de ces fermes j'ai embrassé une fille qui répondait au nom de Theresa, pas très bavarde, un goût d'anis, et de sa langue fureteuse et sucrée elle avait exploré ma bouche pendant dix bonnes secondes avant de tourner les talons et de s'enfuir sans un mot, la vigueur de son auscultation frisant la brutalité. Malgré ce désintérêt soudain, comme si je n'étais rien d'autre qu'un baudet croisé dans un pré, j'ai eu quand même conscience d'avoir franchi une étape importante. Personne à la maison ne me croirait, évidemment, les vestiaires du gymnase bruissant déjà d'histoires plus ou moins fantaisistes de filles qui s'étaient laissé bécoter, mais il n'y avait jamais aucun témoin pour confirmer. Ces choses-là se produisaient toujours ailleurs, sans spectateur. Et voilà que je me trouvais dans cet ailleurs, sous d'autres cieux, affranchi de ces chaînes que sont les endroits et les visages familiers.

Comme la terre était ingrate dans la région des vallées et les fermes distantes les unes des autres, j'ai mis le cap au sud et, en chemin, j'ai rentré du bois et participé au vêlage, conduit des troupeaux et des tracteurs, fendu et taillé des bûches. Une journée ici, une journée plus loin, en me calant sur le soleil et en me reposant quand venait l'heure. Enfin j'avais brisé le joug du tic-tac oppressant de l'horloge de la salle de classe, celle dont les aiguilles me torturaient en avançant au ralenti, et il était même arrivé qu'elles restent bloquées, une minute devenait alors une éternité tandis qu'autour de moi mes camarades n'avaient pas l'air de comprendre que tout conspirait à nous enchaîner, à nous enfermer dans une prison perpétuelle. Tournant le dos à cela j'ai conquis ma liberté et, à chaque virage, je poursuivais ma mue en me débarrassant de ma peau adolescente.

Lorsque la fatigue me tombait dessus je trouvais refuge dans une étable, une cabane ou une roulotte depuis longtemps abandonnées, et plus d'une fois j'ai dormi à poings fermés, blotti sous une haie de ronces et de houx, une vraie muraille sans doute plantée au Moyen-Âge, haute de trois mètres et aussi impénétrable que les barbelés de Bergen-Belsen.

Les autres nuits, quand le ciel était clair et les fermiers ne prévoyaient pas de pluie, je m'installais dans un champ, je me faisais une tente de mon tapis de sol et je m'assoupissais à la lueur mourante d'un feu qui éclairait mon visage tourné vers la lune, couché sur un lit d'herbe, et je me réveillais, perclus de courbatures et souvent trempé jusqu'aux os, maudissant les fermiers et leurs prédictions inexactes.

Je me nourrissais de ce qu'on voulait bien me donner. Des œufs et des patates, principalement, des pommes de l'automne passé et parfois du lait, de quoi remplir ma gourde, deux ou trois mottes de beurre frais enveloppées d'un tortillon de jute et de temps en temps, un quignon de pain si dur qu'il aurait pu servir à démarrer le four à briques. Des légumes, aussi. Épinards et blettes étaient de saison. À l'occasion un navet, que je mangeais cru, en mordant dedans, sans jamais y prendre goût. Rarement de la viande. Une fois on me donna un pot de miel, dans lequel je trempais à peu près n'importe quoi. Même un cube de rutabaga piqué sur ma fourchette devenait une friandise si je le croquais les yeux fermés, attaquant son cœur amer.

Plus je m'éloignais de ce que je connaissais depuis toujours, plus je me sentais gagné par une certaine légèreté. L'angoisse acide qui s'était logée au creux de mon estomac au cours de l'année scolaire s'atténuait peu à peu tandis que se dissipait, en parallèle, le brouillard mental. Pour la première fois j'avais échappé à l'ombre projetée par le puits d'extraction qui résonnait du grincement et du fracas des engins, et mis de la distance entre moi et cette poussière anthracite qui, les jours sans vent et sans nuages, se déposait partout, sur les draps et la lessive qui séchaient aux fils accrochés en travers des ruelles à l'arrière des maisons et qui réclamaient ensuite de bons coups de battoir. À présent je respirais à pleins poumons et je percevais dans ma foulée une énergie qui, dans la clarté du petit matin, me donnait à croire que j'étais capable de marcher des journées entières sans reprendre haleine. Mon squelette, mes articulations, mes muscles et mon esprit travaillaient de conserve, je le sentais aussi, en parfaite symbiose, rouages d'une machine bien huilée dont l'unique carburant était la jeunesse et les aliments qu'on voulait bien lui donner.

Très tôt on m'avait inculqué qu'une carrière à vie dans les ténèbres et les cendres, c'était une affaire réglée, et cette menace se tapissait dans un coin de ma tête à la façon d'un spectre auquel on ne pouvait échapper. Une perspective d'abord redoutée qu'au fil du temps j'avais fini par prendre en horreur, au point d'être prêt à ruer dans les brancards.

Mes parents n'avaient jamais envisagé pour moi d'autre destin que celui de gueule noire. Certains des garçons aux côtés desquels j'avais grandi travaillaient à la mine depuis deux ou trois ans déjà mais, pour moi qui m'enivrais d'air frais et de solitude, le fait communément admis que j'allais suivre mon père au fond du puits de forage, comme lui y avait suivi son père, expliquait sans détour la raison qui me poussait à sillonner les chemins d'Angleterre. C'était la façon que j'avais trouvée de me libérer de certains liens, de m'insurger, et pourtant j'étais toujours attaché à ma communauté, assez pour me demander si ce périple n'offrait qu'un répit de courte durée, un baroud d'honneur avant de m'enterrer vivant, de me diriger vers cet horizon sinistre. Je devais voir autre chose, ou du moins essayer, avant que la mine – ou, pire, la guerre – ne m'avale pour de bon.

Le printemps se déployait autour de moi. Je fis pas mal de rencontres durant ces semaines passées sur la route alors que les températures devenaient plus clémentes : chemineaux, trimardeurs, marins et vagabonds de toutes obédiences. Ces romanichels, ou manouches comme on les appelait, avaient pour gagne-pain le rafistolage de casseroles et de gamelles, le rempaillage de chaises, le troc et la débrouille. Il m'est arrivé de me réchauffer au même feu qu'une famille avec cinq enfants qui, chaque nuit, arrivait par je ne sais quel miracle à s'entasser dans leur roulotte à toit amovible tirée par une vieille carne docile.

Ceux qui sont passés maîtres dans l'art de la combine et du système D rebondissent toujours mieux dans la période qui suit un conflit, c'est certain. Mon chemin croisa celui de marins coincés à terre qui n'avaient pas l'air pressés de reprendre la mer, d'amateurs de cueillette sauvage impatients de revoir fleurir les myrtilles et les mûres, de cueilleurs de houblon qui rongeaient leur frein avant de descendre passer l'été dans le sud du pays, de cantonniers chargés d'étaler du goudron fumant sur les routes au moyen d'énormes balais qu'ils plongeaient dans des cuves ; j'ai tué le temps en compagnie d'âmes paumées, traumatisées, qui toutes avaient survécu à la guerre.

Parler de la pluie et du beau temps permet à coup sûr de briser la glace, l'Angleterre étant une nation obnubilée par les conditions atmosphériques, trop chaud ou trop froid, trop humide ou trop sec. Il est inhabituel d'entendre un Britannique se féliciter de l'excellence du climat ou de son herbe bien drue quand il sait qu'elle est plus verte, dans le comté voisin. Disserter de l'état du ciel, ce n'est pas autre chose qu'un sésame ou une monnaie d'échange, une transaction qui sert à approfondir la relation une fois la confiance établie. Ceci, je l'ai appris au gré de mon cheminement, contraint par les circonstances et les détails pratiques de la survie à prendre l'habitude d'ouvrir plus souvent la bouche, car chez moi, la plupart des échanges consistaient à obéir aux consignes des adultes qui s'exprimaient par un chapelet de grognements et de caquetages, à mi-chemin entre le bœuf et le canard. Au début je me sentais si seul que cela me délia la langue mais j'ai très vite appris qu'en pleine nature il ne faut pas craindre la solitude ; en réalité, j'ai souvent vécu des moments d'euphorie, que rien ne laissait entrevoir, face à cette sensation irrésistible d'être livré à l'imprévu que j'éprouvais à cet instant-là. J'étais totalement libre de mes mouvements, de mes actions. Je pouvais me réinventer.

Lors de ces conversations il était rare que nous fassions allusion à la guerre ; la bête restait enterrée. Elle n'aurait pas supporté la lumière du jour.

J'ai fini par me lasser des fossés et des taillis et, cédant à la mer et à son chant des sirènes, j'ai dirigé mes pas vers l'Europe, guidé par des poteaux indicateurs qui m'ont fait traverser des villages cramponnés à la région de Cleveland et à la frontière est du Yorkshire du Nord.

Skinningrove, puis Loftus.

Staithes, Hinderwell.

Partout j'ai trouvé du travail, je suis resté un jour ou deux et je suis reparti.

Mes pas me portèrent vers la baie de Runswick, puis vers Sandsend et, enfin, la petite ville de Whitby avec son arche en os de baleine et l'odeur de vinaigre portée par le vent et, de l'autre côté de l'embouchure, le squelette d'une vieille abbaye qui se découpait en ombre chinoise sur les hauteurs.

Par deux fois sur cette partie du littoral je suis tombé sur des avions abattus dans un ciel qui était aussi une zone de combat, la première carcasse évoquant une œuvre abstraite, masse de métal noircie et tordue par la flamme, le verre fondu jusqu'à former une boule de feu mugissante. La seconde, je l'ai trouvée gîtant dans un champ de blé, amputée d'une aile mais le fuselage intact, le nez enfoui dans les jeunes pousses, comme laissée là par des pique-niqueurs négligents partis se promener.

Et pourtant, sur l'empennage et l'aile qui restait, l'emblème sinistre d'un épouvantable empire, et éparpillés à l'entour les débris de la mission meurtrière, pas encore dépecés par les gars du coin qui étaient inexplicablement passés à côté de cette aubaine : une pâle d'hélice déformée, aussi longue que j'étais haut, et une étoffe déchiquetée que je n'ai pas osé ramasser. On aurait dit que le bombardier s'était écrasé à peine quelques minutes plus tôt dans les champs de cette contrée étrangère qui traçaient un damier dissymétrique, plongeon en vrille et panache de fumée, la mort prenant dans ses bras le pilote en prière, paniqué, énième victime de la sarabande macabre de cette guerre. Énième statistique fantôme.

Je n'ai pas lambiné en chemin et j'ai très vite gagné la crête de High Normanby où, du regard, j'ai balayé les pâturages à flanc de colline de Fylingthorpe, et dans la baie en contrebas les eaux dessinaient une somptueuse mosaïque composée des éclats d'un miroir en émeraude et malachite.

II

Alors que je coupais à travers des champs qui s'étiraient jusqu'à la mer, un pollen couleur de rouille poissa mon pantalon et quand j'ai passé le pouce dessus, ses mouchetures laissèrent une tache du même corail qu'un coucher de soleil alangui.

Les habitations vues en chemin étaient trapues et solides, construites avec la pierre pâle de Goathland. Nées des carrières exploitées sur la lande, battues par les éléments et tuilées de rouge, elles ne manquaient pas de charme et la plupart occupaient leur propre lopin de terre, aux antipodes de ces maisons mitoyennes à la brique barbouillée de suie des villages où j'avais mes racines.

Ici, l'agriculture prenait le pas sur l'industrie – la terre, généreuse, n'était pas gagnée par la gangrène.

Me laissant guider par les haies, je suis passé à côté de troupeaux de vaches dont les pis pendouillaient comme des ballons de baudruche dégonflés, croisant de temps en temps un cheval attaché dans un paddock triste, les côtes saillantes comme la coque d'un rafiot échoué sur le sable, qui explorait le terrain de ses grands yeux humides dans l'espoir de trouver autre chose qu'un chaume chétif. Les sinistres séquelles du conflit n'avaient pas épargné les animaux mais, tant que leur cœur battait, ces créatures faméliques ne perdaient pas courage.

Des moutons s'étaient égaillés sur les coteaux et, dans un champ, j'ai aperçu un animal qui ressemblait à une brebis déformée – un spécimen étrange qui faisait la taille d'un petit cheval et présentait un cou démesuré avec des pattes couvertes de laine –, un alpaga, je l'ai appris plus tard.

Arrivé au pied de la colline, je me suis enfoncé dans la douce brise qui soufflait de la mer et là, j'ai éprouvé un délicieux soulagement. Le parfum de la saison intermédiaire embaumait l'air : une fraîcheur, végétale, mordante, rappelant l'herbe folle, des jeunes pousses gorgées de sucs et la sève jaillissante qui imprégnait les sentiers sinueux, le bocage qui donnait l'impression de progresser dans un labyrinthe tandis que je laissais ma fantaisie m'inspirer quand j'arrivais à une fourche et la pente m'emporter.

La musique qui m'accompagnait se résumait aux bêlements des agneaux nés en mars, qui avaient grandi maintenant et qu'il allait bientôt falloir tondre. La vie était là, elle vibrait tout autour, elle circulait en moi et me possédait durant cette période de renouveau et de sublime renaissance, d'intense foisonnement.

J'ai emprunté des pistes sinueuses pour descendre vers la mer, quasiment un mirage dans l'esprit d'un jeune homme dont l'unique expérience maritime se limitait à cette matinée monotone passée, enfant, à regarder les eaux agitées et grises qui giflaient les quais en pierre des chantiers navals du Sunderland.

Même à cet âge ce n'est pas l'image de l'eau qui m'avait frappé, mais ce qui l'exploitait et agissait dessus : un monde de boulons et d'étincelles, de feu et de fureur, des structures colossales semblables à des cathédrales en acier, grises, dénudées et de guingois, d'immenses vaisseaux de guerre laissés inachevés dont les dimensions brutes dépassaient presque l'entendement.

Le chuchotis des vagues avait été étouffé par le crissement du métal et par les hurlements stridents des mouettes qui planaient très haut.

De l'eau, je n'ai gardé aucun souvenir, seulement qu'elle s'était retirée, loin, et qu'on la voyait à peine, derrière le béton d'un dock sec et le grillage du chantier naval endiguant la cacophonie de l'homme occupé à son labeur.

La mer, mon père m'y avait emmené l'un des rares jours où il ne travaillait pas ; quinze miles et deux longues heures à bord d'un bus à l'impériale envahi par les arabesques de fumée bleue des cigarettes bon marché, Players et Capstan. On avait pêché des crabes dans l'eau grise du port en nous servant de cordelettes lestées de clous d'une quinzaine de centimètres et, en guise d'appât, des morceaux de jarret bien gras récupérés dans l'égout du boucher. La puanteur du mazout et le vert luminescent des carapaces avaient suffi à nous couper l'appétit et nous avions rendu nos prises à l'eau huileuse.

Pourtant, soixante ou soixante-dix miles plus au sud, sur un littoral que j'arpentais depuis des semaines, les hangars et les eaux noircies par la coke à Wearmouth étaient de l'histoire ancienne. À présent le paysage se déployait en une mosaïque verdoyante de champs cultivés et de pâtures, sillonnée de sentiers poussiéreux et de vallons plantés d'arbres. Au fond de ces ravins peuplés d'ombres coulaient des ruisseaux murmurants et limpides, véritable réseau vasculaire qui allait à la rencontre des eaux rouge sang de la mer du Nord dont la surface scintillait comme un banc formé d'un million de jeunes harengs.

La zone côtière occupait une fonction différente, ici pas de quais asséchés, pas de wagonnets à bascule comme chez moi, où la mer servait de chaîne de production à une industrie qui avait tiré profit de la guerre et où le cycle des marées rognait les falaises avec la régularité d'un maillet de maçon.

Ici, l'océan était une voie d'accès, une invitation que j'ai acceptée sans la moindre hésitation.

Mes pas me conduisirent dans des prairies chuchotantes et des fourrés éventrés, le long de murs en pierre qui s'affaissaient par-dessus des échaliers et au-delà des portillons d'herbage dont la barre supérieure, aussi lisse qu'un crâne, avait été polie des siècles durant par les paumes moites des travailleurs itinérants et des vagabonds.

J'ai emprunté un sentier plus étroit encore, qui s'enfonçait dans un goulet boisé inaccessible aux véhicules et, à l'endroit où cette piste dessinait une courbe, j'ai franchi un cours d'eau peu profond sans me servir des pierres du gué séculaires dont la roche froide et taillée gardait la marque des brodequins, autre témoignage du temps qui passe. Je me suis demandé, la question s'imposa à moi, si ces pierres se trouveraient toujours là dans un siècle, s'il serait encore possible d'étancher sa soif à ce ruisseau, ou si les vieilles fermes seraient en ruines et les pâtures en friche, comme dans un cimetière abandonné. Et si, me suis-je alarmé, tout était ravagé par une nouvelle guerre ?

J'ai suivi un réseau ancien de chemins, sillons serpentins creusés dans la glaise aride, encoches taillées par le temps.

Au fond du couloir sombre et frais d'une de ces pistes encaissées j'ai vu dans un talus un terrier creusé par des blaireaux, entouré de monticules de terre compacte. Secs, ils s'élevaient par endroits jusqu'à deux mètres. Ces amoncellements sculptés menaient à des renfoncements décorés de marques de griffes récentes. Des hiéroglyphes en quelque sorte, une forme de poésie sans mots, et à proximité des motifs s'éloignaient de la bouche des galeries pour disparaître dans des brèches ouvertes au pied des haies et parmi les hautes herbes des pâtures environnantes. Les boyaux de l'immense terrier devaient se dérouler sur une quinzaine de mètres, aux quatre points cardinaux, et s'enfoncer dans le territoire ténébreux colonisé depuis des générations par cet animal mal connu. Autant d'accès à un royaume fascinant.

Tandis que le soleil répandait sa lumière sur la terre sèche et tassée, mettant en relief la calligraphie des balafres, j'ai fait halte, à peu près certain de me trouver à proximité d'une famille assoupie dans sa tanière et sourde au monde extérieur.

J'ai voulu me désaltérer mais ma gourde était vide.

J'ai pris note de l'endroit puis je suis passé à quatre pattes sous une clôture et j'ai traversé un champ, enfoncé à mi-mollet dans une herbe cireuse qui sifflait, caressée par le vent marin. Entraîné par la pente, je suis tombé très vite sur un autre sentier que j'ai suivi quelque temps avant de prendre sur la gauche.

Une force inconnue me somma de m'engager sur ce chemin même si, selon toute apparence, il débouchait dans un cul-de-sac. Rétrospectivement, il s'agit de l'un de ces moments où le destin vous propulse sur une trajectoire inédite dont l'importance vous échappe à l'instant où tout se joue.

Au bout d'une centaine de mètres, le sentier se resserra et me conduisit devant une maisonnette accolée à ce qui était devenu une piste creusée d'ornières et de nids-de-poule, rien de tel pour se fouler la cheville.

C'était un échantillon de bâti en pierre locale, caché sous une vigne vierge de Virginie qui s'accrochait à la façade comme une pieuvre à un rocher battu par la tempête, ses sarments enchevêtrés se faufilant partout à la façon de tentacules. Arrivant par l'arrière, je suis remonté jusqu'à la racine de la plante au baiser étrangleur qui s'élevait de terre et courait sur la totalité du pignon, son feuillage qui frémissait sous la brise rappelant la surface d'un lac.

Cette maison m'apparut comme en rêve.

Le sentier prenait fin sur le flanc de la maisonnette, stoppé dans son élan par une jungle de ronces. Devant, un jardin avec une petite terrasse aux pavés lézardés, de la pelouse et un potager bordé d'herbe, le tout contenu par une clôture en bois qui ne tenait plus droit et dont la peinture blanche, vieillissante, était cloquée, écaillée et décapée par les embruns.

Le jardin était la seule zone domestiquée d'une prairie laissée à l'état sauvage dont la pente guidait le regard vers la mer en contrebas, à un mile de distance environ, plantée de part et d'autre de végétaux et d'arbres qui l'encadraient à la façon du viseur d'un peintre romantique.

Plusieurs mangeoires accueillaient toute une ménagerie, mésanges, bouvreuils, merles, pouillots véloces et fauvettes à tête noire, que j'ai observée un bon moment, sans me faire repérer, jusqu'au moment où trois corbeaux qui patrouillaient dans le ciel, leur ombre zébrant le soleil, descendirent en piqué, s'abattirent sur le banquet et dispersèrent les convives, aussi endurcis que des mercenaires. C'est alors que j'ai remarqué, façonnés sous l'avant-toit d'une dépendance en brique rouge adossée à la maison, deux nids en terre, le logis de roitelets qui s'étaient établis là, et dont la forme évoquait des bols posés à l'envers, tout juste façonnés par un potier.

À cet instant me parvint un bruit sourd ; un grondement assourdi qui rappelait un moteur qu'on laisse tourner. Un bruit de glaires, de chair. Qui monte de la gorge.

J'ai jeté un coup d'œil par-dessus mon épaule et là, j'ai vu un énorme berger allemand, les oreilles plaquées sur le crâne et la queue dressée comme l'antenne d'une radio, dans la position du sprinter qui attend qu'on donne le départ de la course. Il avait braqué ses yeux inquisiteurs sur le trophée : mon poignet. Je me suis figé.

La bête à l'aspect patibulaire continua à me fixer, retroussant le bourrelet humide de sa babine pour révéler de longues canines, les marbrures roses et noires des gencives et du palais qui luisaient. Il gronda à nouveau, un grognement sourd. On aurait dit le tonnerre.

« Jojo, » fit une voix. Une femme se redressait de toute sa hauteur dans les broussailles impénétrables derrière la clôture. Elle se tourna, d'abord vers l'animal, puis vers moi. « Oh, te voilà. »

La spontanéité de cet accueil, qui donnait l'impression que j'étais sorti un instant, le temps de faire bouillir l'eau dans la casserole, ou d'aller déterrer quelques carottes, me prit au dépourvu. J'en déduisis que la femme n'y voyait plus très clair et qu'elle m'avait pris pour un autre, ou alors qu'elle s'adressait au chien. Il y avait des chances qu'elle ne m'ait pas vu du tout, même, et que, d'une seconde à l'autre, son mari ou son fils – un solide gaillard aux bras comme des gigots, avec une méfiance marquée vis-à-vis des étrangers et des gêneurs – surgirait d'un cabanon dissimulé par la végétation et me réserverait une réception à sa façon, moi le vagabond, le chemineau, le freluquet venu des houillères couleur cendre.

Du haut de son mètre quatre-vingt, la femme assumait une posture de défi, presque de provocation, et son port noble et altier la faisait paraître plus grande encore.

Visage anguleux et félin, pommettes marquées, mâchoire puissante. Une bouche épanouie – trop large, presque, par rapport au visage – avec quelque chose de félin, là aussi, dans les commissures légèrement relevées. La suggestion d'un sourire aussitôt réprimé.

J'aurais été incapable de lui donner un âge précis, la jeunesse jugeant cacochyme quiconque dépasse la quarantaine, mais d'emblée j'ai vu dans ses traits celle qu'elle avait été des dizaines d'années plus tôt. Elle était toujours là, dans son regard, dans ses gestes. Même si sa tenue paraissait totalement anachronique – elle semblait débarquée de l'ère victorienne –, c'est d'un pas léger qu'elle s'approcha de moi, la souplesse de sa démarche était de toute évidence indifférente au poids de l'âge ou à la menace présentée par un inconnu qui transpirait à grosses gouttes.

« La paix, Jojo, » lança la femme, et illico le chien s'allongea au sol puis posa la tête sur ses pattes sans détacher une seule seconde le regard de ma personne. « Que de la gueule, rien dans le froc, poursuivit-elle. Il a une façon bien à lui de souhaiter la bienvenue aux visiteurs. »

Ma langue chercha une réponse mais rien ne franchit mes lèvres, en dehors d'un croassement sec et stupéfait. La soif m'enrouait la voix.

« Je l'appelle Majordome, pour des raisons qui parlent d'elles-mêmes, ajouta la femme. Jojo de son petit nom – et c'est parfois un affreux jojo, il faut en convenir. »

La gorge desséchée, j'ai voulu avaler ma salive pour faciliter le passage des mots récalcitrants. « Je viens d'arriver par le sentier, ai-je expliqué, maladroitement.

— Oui, je me doute que c'est par le sentier que tu es arrivé, forcément – et tu arrives de beaucoup plus loin, même, si j'en crois ton accent qui, arrête-moi si je me trompe, se colore des consonnes gutturales du pitmatic ? »

J'ignorais à l'époque que le « pitmatic » désignait le dialecte parlé dans les bassins miniers du nord-est de l'Angleterre, et j'ignorais tout autant que j'avais un accent. Je m'apprêtais à répondre quand, tout à coup, je me suis rendu compte que ma langue était devenue pâteuse. Impossible d'en tirer quoi que ce soit, et je n'arrivais pas plus à contrôler les muscles qui entouraient ma bouche. Rien ne sortit.

« Bon, bref, reprit la femme, tu arrives pile à l'heure pour le thé. En prendras-tu ? »

J'ai réussi à prononcer une réponse intelligible. « Le thé ?

— Oui. Une tasse. Et pourquoi pas plusieurs. »

Si mon intonation trahissait mes origines, la sienne était tout aussi étrangère à mes oreilles : elle parlait comme les gens parlent à la radio. Rien à voir avec les inflexions chantantes et les syllabes avalées des voix entendues dans les charbonnages qui m'avaient vu grandir.

« Je ne veux pas déranger. »

Elle haussa les épaules. « Tu ne me déranges pas du tout, tant que tu vas me chercher les orties.

— Les orties ?

45

— Oui. C'est du thé d'ortie que je prépare. Cela t'arrive d'en boire ? »

Après une seconde d'hésitation, j'ai fait non de la tête. « J'ai toujours cru que c'était toxique.

— Les orties, toxiques ? Quelle idée. Elles *piquent*, peut-être, car elles ont les feuilles et les tiges hérissées de petits poils qui agissent comme autant d'aiguilles. Elles deviennent inoffensives après un bon bain bouillant. » Un court silence. « Je comprends ta réticence. La croyance populaire nous a mis dans le crâne qu'il faut se méfier de cette plante invasive ; pour moi, c'est une amie. Je l'ai adoptée par la force des choses et, ensuite, c'est devenu une habitude lorsque j'ai découvert que c'était un moyen de se désaltérer qui en valait bien un autre, et tu m'as l'air d'être capable de boire la mer et les poissons avec.

— C'est vrai que j'ai soif, madame.

— Fort bien, dans ce cas. Mais interdiction formelle de me donner du « madame », sinon c'est la porte. » La femme fit un pas dans ma direction et me présenta une main gantée. « Mon prénom suffira : Dulcie. Dulcie Piper. Et pas de vous entre nous. Ces délectables formalités me touchent beaucoup, mais elles sont superflues. »

Après avoir couché à la dure pendant des semaines, j'ai soudain pris conscience de l'allure que je devais avoir, une dégaine de va-nu-pieds, même si j'avais suivi les consignes de ma mère. Dulcie ne fit pas la moindre remarque sur le sujet, et rien n'indiquait qu'elle s'en était rendu compte.

« D'accord, ai-je répondu, écarlate.

— Il serait peut-être temps de me dire comment tu t'appelles. »

Avec un sourire gêné et contraint, j'ai pris sa main dans la mienne. Le gant de jardinage me parut aussi sec et aussi rugueux que ma gorge. « Je m'appelle Robert, madame… »

Elle m'interrompit d'une exclamation réprobatrice, puis elle agita un index tout en longueur. « Robert comment ?

— Appleyard.

— Très bien. Ouvre grand les oreilles, Robert, que je t'explique la méthode qui donne un thé à l'ortie inégalé. C'est très simple : prends une généreuse poignée de cette pauvre *Urtica dioica*, celle de nos plantes indigènes qui a la pire des réputations, mets-la à bouillir dans une casserole d'*aqua vitae* – et il n'existe d'eau plus pure que celle qui glougloute à travers les strates du Yorkshire – laisse infuser puis ajoute, soit trois giclées de citron, soit une épaisse rondelle, jusqu'à ce que le thé devienne rose pivoine. Verse dans une chope en étain ou dans une délicate porcelaine Ming, cela n'a aucune incidence sur le résultat. »

Mortifié, je n'ai pas osé admettre que je n'avais jamais vu de citron, que je n'en connaissais pas le goût, et qu'elle aurait tout aussi bien pu me parler chinois, mais peut-être Dulcie s'en rendit-elle compte, car elle m'épargna la suite de sa recette.

« Je sais ce que tu es en train de penser : des citrons dans une région où personne n'en cultive ? Quel est ce miracle ? Disons simplement que je fais jouer mes contacts. Mes *relations*. Ce petit Boche qui bande mou a détruit bien des choses mais pas le rituel du *four o'clock* chez moi. Non monsieur. On peut remplacer le citron aussi. Par du thym, du basilic, du myrte et de la verveine, dont la saveur s'en rapproche d'une certaine façon, sans oublier la mélisse et la citronnelle – introuvables sous nos latitudes, j'en ai bien peur, à moins d'être un botaniste qui sillonne les cinq continents. Quant aux citrons verts, oublie : aussi introuvables que le testicule gauche de Hitler, à en croire les ritournelles chantées dans les cours d'école. Même moi, figure-toi, je n'arrive pas à mettre la main dessus. Les citrons verts, je précise. »

Le monologue de cette femme étrange et son débit de mitraillette m'avaient si bien désarçonné que sa boutade me passa totalement au-dessus. « Pourquoi du citron ? ai-je demandé, en prenant des pincettes.

— Eh bien, pour la couleur, et le goût. Un peu de couleur, c'est essentiel dans la vie, même si c'est illusoire. Et une vie sans goût équivaut à la mort. Le thé d'ortie est un breuvage parfaitement ennuyeux que le citron rend tolérable. Avantage : on peut s'en procurer sans coupon de rationnement. Il n'y a qu'à se pencher. L'ortie, c'est gratuit, et ce qui est gratuit a toujours meilleur goût. Tu n'es pas d'accord ?

— Si, ai-je acquiescé en hochant la tête. Complètement d'accord avec… toi. Moi-même je me suis nourri de ce que la nature a bien voulu me donner ces dernières semaines.

— Et bravo à toi. On raconte que c'est la panacée, le thé d'ortie. Une bénédiction pour la peau, un tonique pour les articulations et un régulateur de l'organisme. À mon âge, un coup de pouce pareil, ça ne se refuse pas. Et j'allège le fardeau de la prairie en l'arrachant. »

Dulcie se dirigea vers la maison et passa à côté de moi. À cet instant, le chien releva la tête et déplia les pattes, sans se presser, pour se remettre d'aplomb, dans un mouvement qui me fit irrésistiblement penser à l'étendoir sur lequel ma mère mettait le linge amidonné à sécher.

« Elles ne piquent pas ? ai-je demandé. Quand tu les cueilles, je veux dire ? »

Dulcie disparut derrière la porte, en ressortit quelques secondes plus tard. « Il suffit d'avoir la technique. On pince la feuille entre l'index et le pouce, d'un geste assuré, et il n'y a aucun souci. C'est quand la main hésite que ça finit mal. Tu dois surtout te méfier de celles qui poussent à ras de terre, elles n'auront aucun scrupule à t'attaquer les mollets et à les marquer de zébrures qui te mettront à la torture toute la nuit. On n'en meurt pas, mais c'est un tour de main que tu n'as pas encore pris… »

Elle ôta ses gants de jardinage fatigués, puis elle me les jeta. « Essaie ça. Je vais mettre l'eau à bouillir. »

J'ai enfilé les gants, imprégnés de la chaleur moite laissée par les paumes de cette femme excentrique, et cette sensation m'a rappelé les matchs de cricket au village, sur le terrain de sport, et l'unique paire que devaient se partager ceux qui occupaient le poste de batteur et qu'on se refilait jusqu'à ce qu'il n'en reste que deux lambeaux de caoutchouc avachis et imbibés de sueur.

Dulcie revint chargée d'un plateau qu'elle posa sur la table, puis elle versa dans des tasses la boisson rose qui fumait. « Il m'en restait un peu de la dernière cueillette, » expliqua-t-elle.

Elle me présenta également une assiette de sablés aux raisins secs. Me débarrassant des gants, j'ai pris un biscuit que j'ai longuement examiné, fasciné par les minuscules cristaux de sucre qui semblaient retenir les rayons du soleil, avant d'oser mordre dedans.

« Alors, fit Dulcie en soufflant sur sa tasse. Du thé en échange de ton histoire, cela me semble honnête. En route vers la baie, c'est ça ?

— Oui, je crois.

— Tu n'as pas l'air convaincu.

— Non. »

Je ne suis pas entré dans les détails. J'ai bu une gorgée de thé et, enfin, j'ai fait connaissance avec le goût du citron : agressif, mais pas désagréable. J'y suis retourné.

« Des nuages obscurcissent l'horizon, ajouta Dulcie. Nul ne peut dire de quoi demain sera fait.

— J'ai décidé de voir du pays. Cela fait quelques semaines que je suis sur les routes. »

Elle se mit à rire, le nez dans sa tasse, et renversa un peu de thé à côté. « Oh, voilà qui me plaît. Ça ne manque pas de *cran*. »

Nous avons bu en contemplant la prairie. Cela me permit d'étudier à loisir le jardin, enclave volée à la végétation exubérante, la prairie grignotant cette zone aménagée dans laquelle Dulcie avait construit une petite rocaille et arrangé des massifs qui commençaient à fleurir.

À peine une demi-heure plus tôt j'inspectais un terrier de blaireau, seul et en nage à force d'avoir marché, en quête d'une source fraîche à laquelle remplir ma gourde, et voilà que je me retrouvais assis à une table – une éternité que cela ne m'était pas arrivé – et que je buvais le thé sur l'invitation d'une femme qui n'avait rien en commun avec les villageoises de ma connaissance.

Au loin, je parvenais à peine à distinguer l'étendue de la mer du Nord, une perspective observée à travers des jumelles dans la brume de cet après-midi glorieux.

« C'est un excellent calcul, de ne rien calculer, déclara Dulcie au bout d'un moment. On ne sait jamais ce qui se profile. Le ciel bleu du matin peut annoncer l'orage de l'après-midi. La vie est longue quand on est jeune et courte quand on est vieux, mais à tout âge elle ne tient qu'à un fil. »

Le silence s'installa quelques instants, le chien poussa un soupir.

« Méfie-toi, ils ont une passion immodérée pour le rhum par en bas, reprit Dulcie.

— Qui ça, ils ? »

Elle reposa sa tasse et, de la tête, montra la mer. « Toute cette engeance qui vit dans la baie. Il faut surveiller ses arrières. Certains ont des contrebandiers dans leur arbre généalogique. Ils ont vécu trop longtemps sur l'eau. Ça leur a détraqué le cerveau. En pleine santé physiquement mais c'est dans la caboche que ça s'est déréglé, vois-tu. Il y en a quelques-uns dans le coin qui sont durs à la comprenette. »

Elle porta la tasse de thé à ses lèvres et huma l'air avant de reprendre la parole.

« Ce ne sont pas de mauvais bougres, c'est juste que leur pool génétique ressemble plus à ce qui patauge dans une flaque laissée par la marée, si tu vois ce que je veux dire. »

Ne voyant rien du tout, j'ai posé un regard éteint sur cette femme aux vêtements amples et excentriques, soit totalement passés de mode, soit à la pointe de la modernité ; j'étais bien incapable d'en juger. Même les enroulements bariolés de son foulard et le tissu fluide de son pantalon ample – un *pantalon* – semblaient peints au moyen d'une palette qui sortait de l'ordinaire. J'ai remarqué qu'elle avait de grandes mains sillonnées de veines noueuses et qu'il y avait de la terre sous ses ongles laqués, ce qui trahissait la jardinière assidue.

« Et ces vieux loups de mer ont pour certains un appétit de brochet. Tu devrais les voir : un bide comme une barrique de bière. Un miracle qu'ils s'en sortent quand il faut aérer le tuyau d'arrosage. »

Je hochais la tête tandis que Dulcie me regardait de biais. Lorsque je compris enfin l'allusion, j'ai piqué un fard puis souri.

« Tout de même, ils ne sont pas méchants. Pas méchants *pour un sou*. J'imagine qu'ils sont plusieurs à penser que je suis une souillon qui blasphème l'Église, ou Satan en personne, mais honnêtement, ça m'en touche une sans faire bouger l'autre.

— Tu ne crois pas en Dieu, alors, Du... Du... » Je me suis mis à bafouiller, comme si l'appeler, elle, une adulte, par son prénom, était au-dessus de mes forces.

Elle lâcha un grognement en réponse. « Hmmph. Foutaises et fariboles. On a bien assez de tarés de la Bible dans la région comme ça, merci. Cette sale clique d'apôtres de l'Apocalypse qui tirent leur coup deux fois dans toute leur vie. »

Sa vulgarité me fit tressaillir : elle utilisait le genre d'expression que les gars qui travaillaient à la mine réservaient à une compagnie exclusivement masculine et, même dans ces occasions-là, c'était mal vu. Intimidé, pour ne pas dire choqué, par cette femme qui dégageait une telle assurance, je me suis senti perdre pied. J'étais complètement dépassé. Elle était tout le contraire de ma mère ou de la plupart des ménagères d'âge mûr que je connaissais et qu'on n'aurait jamais prises à jurer ou à blasphémer, encore moins dans la même phrase. Ces personnes-là, les aînés en particulier, montraient d'ordinaire un respect prudent et inconditionnel envers la religion.

« Non, enchaîna-t-elle. À mes yeux, la religion n'est qu'un tour de passe-passe ânonné par un prestidigitateur de pacotille. S'infliger la messe du dimanche et une heure de striptease avec Gypsy Rose Lee, c'est à peu près équivalent. »

J'ai eu du mal à avaler une opinion aussi tranchée, et je risquais de trahir mon ignorance en essayant d'en débattre. Une sensation étrange, un picotement dû à l'appréhension, parcourut à cet instant mon cuir chevelu. Avec une parfaite désinvolture, Dulcie balayait d'un revers de la main ces préceptes qu'on m'avait martelés quotidiennement, au détour de conversations banales, et mettait un bon coup de pied dans la fourmilière.

« Et toi, tu crois en Dieu ? s'enquit-elle.

— Je suis anglican.

— Anglican ? Qu'est-ce que ça signifie, exactement ? »

J'ai retourné cette question quelques instants dans mon esprit. « Eh bien, cela signifie que je suis allé à l'école anglicane. »

Dulcie eut un sourire. « Et donc ? »

Ce « donc » me fit réfléchir aussi et je lui ai rendu son sourire. « Donc j'ai passé beaucoup de temps la tête dans les nuages.

— Rêver, c'est bien.

— Pas d'après mes professeurs.

— Cela ne m'étonne guère, et pourtant c'est sur les rêves des jeunes générations que se bâtissent les empires de demain. Tu me donnes l'impression d'avoir consacré autant de temps à observer le monde par la fenêtre qu'à feuilleter tes manuels scolaires.

— À coup sûr je regardais la mine où travaille mon père – et où son père a travaillé avant lui.

— Ah, un charbonnier.

— Non, le charbonnier, c'est celui qui livre le charbon. Mon père travaille sous terre. Il est mineur.

— Il extrait le diamant noir, pour reprendre l'expression. Et toi ?

— Moi quoi ?

— Tu comptes reprendre le flambeau brandi par tes ancêtres ?

— Aucune idée, ai-je répondu, sans m'étendre sur le fait que c'était une question qui revenait sans cesse sur la table depuis des années. Je me suis dit que d'abord j'allais voir du pays. Les puits ne risquent pas de s'en aller. Il y aura toujours la mine. Il y aura toujours du charbon.

— C'est certain. Et qu'est-ce que tu as fait d'autre dans ton école ?

— J'ai subi de longues séances de prière collective et j'ai chanté faux des tas d'hymnes.

— C'est tout ?

— La fête des moissons en septembre, la messe de l'Avent. C'est à peu près tout.

— Eh bien, commençons par le commencement : célébrer les moissons, c'est une pratique païenne. Une grande partie des traditions liées à Noël datent d'avant la chrétienté, qui les a prises à son compte et mises à sa sauce, mais je m'éloigne du sujet. Il ne faut surtout pas que les enfants le sachent. Cela n'a absolument rien à voir avec la foi ou la spiritualité, comme certains l'appellent, qui sont deux concepts totalement distincts. Majordome n'a pas d'atomes crochus avec la religion non plus.

— Ah bon ?

— Il a mordu le dernier cureton qui a essayé de le caresser. On m'a dit qu'il faudrait le faire piquer mais qu'ils essaient un peu, ces salopards. »

Le soleil traversa le ciel, éclairant une prairie qui devait par le passé offrir une vue dégagée sur les champs en contrebas mais qui remplissait à présent la fonction de barrière, laissée en friche dans le but d'occulter, du moins en partie, la mer à la surface mouchetée de triangles argentés.

La sueur qui séchait sur mon dos et la puanteur qui émanait de mes vêtements cartonnés – des semaines durant, j'avais fait ma toilette sur la margelle d'un puits et au jet d'eau dans les fermes croisées en route – me rappelaient que ce que j'anticipais depuis bien longtemps, piquer une tête dans la mer, était à ma portée. Pourtant, l'eau se dérobait à ma vue, cruelle tentation, derrière ce maquis de ronces, ce chaos d'herbes folles et de broussailles.

Le thé d'ortie me rafraîchit, en attendant, et les biscuits étaient l'unique douceur à avoir franchi mes lèvres au cours des quinze derniers jours, exception faite des baies cueillies au bord d'un chemin et de la galette d'avoine achetée à Guisborough. J'ai senti le sucre me fouetter le sang.

Nous sommes restés assis sans échanger un mot puis, au bout d'un moment, Dulcie consulta sa montre.

« Tu devrais rester dîner. Ou souper, si tu préfères. »

Gêné par l'odeur qui se dégageait de ma personne, et pressé par le besoin de trouver un endroit où passer la nuit, j'ai décliné l'invitation. « Ce serait abuser de ta gentillesse. J'ai encore de la route devant moi.

— La décision te revient. Me permets-tu néanmoins de te demander où cette route doit te mener, précisément ? Ne te sens pas forcé de répondre si tu me trouves trop indiscrète.

— J'ai l'intention de descendre prendre l'air dans la baie puis longer la côte vers le sud. »

À cet instant, le chien se matérialisa aux côtés de sa maîtresse et il eut droit à une gratouille derrière les oreilles.

« *Le grand tour*, commenta Dulcie. Figure-toi que les gens du cru disent "par en bas" quand ils parlent de la baie. Il y a des choses à voir, assurément. Des fossiles, des bernard-l'hermite, des paniers de pêche, et la mer qui grignote la frontière d'Albion. La marée haute succédera à la marée descendante, le varech étirera ses rubans jusqu'à la tache safran du soleil et les mouettes s'attaqueront aux frites d'un pauvre couillon. Il y a du homard au menu, mais ne va pas croire que je te séquestre. Te joindras-tu à moi ? »

La chemise plaquée contre mon dos, le dos appuyé à la chaise, je me suis redressé. Je ne savais pas quoi faire de mes mains, sales et désœuvrées sur mes genoux. Les ongles rongés au vif. J'ai fermé les poings tellement j'en avais honte.

« Je n'ai jamais mangé de homard. »

Dulcie fit mine d'être frappée d'horreur. « Pas une seule fois ?

— Ma mère n'aime pas trop le poisson. »

Devinant sans doute que les produits de la mer n'avaient pas leur place à notre table à cause de leur rareté, mais surtout à cause de leur prix, Dulcie n'insista pas. « Cette guerre nous a tous forcés à bouffer de la vache enragée, pardi. Nous sommes restés un peuple libre, c'est indéniable, mais des sardines en conserve passent encore aujourd'hui pour un produit de luxe.

— Ces foutus Boches, ai-je lâché à voix basse. Comme j'aimerais leur faire payer.

— Ah oui ?

— Oui, qu'ils aillent se faire pendre, tous autant qu'ils sont. Vous devriez voir certains gars dans mon village. Les chanceux qui ont pu revenir au pays. Moi, je n'hésiterais pas à leur trancher la gorge, à cette vermine. Ce serait mon devoir en tant qu'Anglais. »

Dulcie m'étudia quelques instants.

« Je comprends parfaitement ta haine. Et j'applaudis ta fougue pleine de crânerie et de rage juvénile. D'un autre côté, Robert, ne cède pas à la colère, ni à l'amertume. La guerre, c'est toujours la même histoire : une poignée d'individus déclare les hostilités, le peuple se laisse massacrer et à la fin tout le monde en sort perdant. On ne tire aucune gloire du sang versé et des cadavres criblés de balles. Aucune fierté. Le hasard fait que je sais que l'Allemagne a payé elle aussi un lourd tribut, et n'oublie pas que la majorité de ceux qui ont été envoyés au front – des gamins pas plus âgés que toi aujourd'hui, j'imagine – y sont allés à reculons. De tout temps, les honnêtes gens ont dû courber l'échine devant les despotes. Tout compte fait, les choses qui méritent vraiment qu'on se batte pour elles se comptent sur les doigts de la main : la liberté, bien entendu, et ses avantages. La poésie, peut-être, et un verre de vin. Un bon gueuleton. La nature. L'amour, pour ceux qui ont cette veine. Ne hais pas les Allemands ; ils ne sont pas si différents de toi ou de moi. »

Après avoir lu les articles dans les journaux du matin et écouté le soir les émissions à la radio, après avoir vécu toutes ces années la peur au ventre, avec les masques à gaz, les exercices de préparation aux raids aériens, le rationnement et les abris creusés dans le sol, et croisé au village les soldats rentrés du front – les uns traînant la patte, les autres parcourus de tremblements, méconnaissables –, j'avais le plus grand mal à accorder du crédit à ce que Dulcie venait de dire. J'avais atteint le seuil de l'âge adulte armé de quelques vérités : l'une d'elles, c'était que les Allemands étaient manifestement un ramassis de monstres. Cela me demandait trop d'efforts de concevoir ce qui nous rapprochait d'eux. Dulcie me vit froncer les sourcils.

« Tu n'es pas d'accord ?

— C'est difficile à comprendre, je l'avoue.

— Je ne te jetterai pas la pierre : tu n'as connu que l'ombre portée de la guerre, et les braillements et les fanfaronnades qui l'accompagnent. Moi j'en ai vu d'autres, des guerres. Et j'ai dévoré tout un tas de livres sur le sujet. L'enseignement que j'en ai tiré, c'est que le commun des mortels reste désespérément commun : humain, trop humain. Je parle d'expérience. Les uns font preuve de courage, les autres sont des imbéciles patentés, mais tous ou presque connaissent la peur. Guerre égale chaos, rien de plus. Allemand ou Britannique, Arménien, citoyen des Pays-Bas ou des îles Tonga – la plupart aspirent simplement à une vie sans histoire. Un bon repas, un peu d'amour. Une promenade entre chien et loup. Une grasse matinée le dimanche. Je le répète, ne crache pas sur les Allemands. Rien ne nous distingue vraiment d'eux, en dehors d'une façon différente de faire le pain, et *ceci*. »

Alors elle montra la mer du doigt. « C'est de l'eau, une simple étendue d'eau, qui nous sépare, et elle n'a pas toujours été là. À une époque tu pouvais partir d'ici et te rendre à Brême, Leipzig ou Hanovre, partout où tes pieds voulaient bien t'emmener. Le Doggerland, c'était le nom qu'on lui donnait. Un beau jour, la mer a recouvert la dernière zone émergée pour laver la terre à grande eau et – stupéfaction – donner naissance à une nouvelle île. Médite un instant là-dessus : jadis, l'Angleterre et l'Allemagne ne faisaient qu'un. »

J'ai hoché la tête, lentement, tout en gambergeant.

« Nous sommes humains, Robert, simplement humains. Tous un peu paumés, seuls et imparfaits, mais un bel homard fraîchement pêché dans les profondeurs saumâtres du Dogger est la définition même de la perfection et comme cet échange nous a menés aux confins de l'après-midi, je tiens absolument à ce que tu restes une heure encore, et même plus longtemps. Une fois l'estomac plein tu pourras gagner le continent, le poignard entre les dents, si c'est ce que tu souhaites. Par ailleurs, Majordome ici présent est un berger d'ascendance allemande et c'est l'ami le plus loyal qu'une vieille taupe dans mon genre puisse espérer. Je dois avoir un faible pour les Teutons. »

Là-dessus, l'animal s'approcha de moi et renifla mon poing fermé. J'ai flatté sa noble tête, chaude sous ma paume.

« J'ai l'impression qu'il se laisse amadouer.

— Dans ce cas, je reste dîner. Merci.

— Remercie-moi plutôt en allant cueillir une grosse touffe d'ail au fond de la prairie. Je n'ai rien trouvé de mieux pour assaisonner ce que je fourre dans ma bouche ; pas étonnant que je vive seule. Bon, je file chercher les crustacés. »

Dulcie se mit debout, puis elle rajusta son chapeau de plage.

« Jojo va te montrer le chemin. » Elle s'adressa au chien – « Jojo, de l'ail, et que ça saute » – et rit de sa propre plaisanterie tandis que l'animal dressait l'oreille.

Elle prit ensuite la direction de la maisonnette et s'immobilisa à mi-chemin.

« Les Allemands appellent cela *Blasentang*, figure-toi. »

J'ignorais de quoi elle parlait. « L'ail ?

— Non, le varech. Excellente source de vitamines. Et d'iode, aussi. Je reviens avec les homards. »

Le chien me servant d'éclaireur, j'ai franchi la clôture pour m'engager dans le pré pris d'assaut par la végétation et, à cet instant, j'ai entendu une voix m'appeler. Par-dessus mon épaule, j'ai vu Dulcie brandir un sécateur.

Elle cria des mots inintelligibles.

« Quoi ?

— Attention au ruisseau, répéta-t-elle en agitant l'outil. Le cours d'eau. La mare. Un peu plus bas. Méfie-toi de l'herbe qui s'enfonce soudain. Jojo sait où. »

J'ai projeté le regard dans la direction que montraient les lames du sécateur avant de progresser d'un pas prudent dans la prairie en pente douce. Une vraie forêt vierge. Je n'avais pas fait vingt pas que déjà, j'avais repéré de la balsamine, du séneçon de Jacob, de la lampsane commune, de la renouée, du liseron, du mouron blanc, des asters, des ronces, de la bardane, du gaillet gratteron, des charbons plus ou moins hauts – certains m'arrivaient au tibia. J'ai identifié d'autres plantes : carex, valériane, digitales et campanules, sans oublier l'habituel foisonnement de pissenlits et de fleurs sauvages, marguerites, lin, orpins. Une variété étourdissante d'espèces avait pris racine dans ce périmètre ensauvagé et toutes jouaient des coudes pour se faire une place au soleil.

Comme promis, le sol se déroba sous mes pieds et céda la place à un ruisseau à peine visible qui chantonnait dans les hautes herbes et arrosait gentiment un bassin en contrebas avant de dévaler la prairie et de gagner la mer via un raccourci. À peine plus qu'un filet d'eau.

Jojo poussa plus loin, indifférent aux fruits de bardane qui s'accrochaient à son pelage et aux orties qui lui effleuraient la gueule, et il m'ouvrit un chemin vers un bosquet où nous attendaient des touffes d'ail sauvage par dizaines, jaillissant du sol comme des gerbes végétales.

Accroupi, j'en ai détaché une feuille que j'ai repliée sur ma langue. Les fleurs blanches de l'ail étaient encore en bouton et, comme je ne savais pas si j'étais chargé de ramener des feuilles ou des bulbes, je me suis mis en quête d'un bâton, ni trop long ni trop court, et j'ai entrepris de gratter précautionneusement la terre afin d'en extraire plusieurs plantes, jusqu'aux racines, petites et décolorées, poussant de la base des tiges comestibles, blanches et bombées.

Au creux de ce coin ombragé je n'avais vue ni sur la mer, ni sur la maison, dont la façade disparaissait sous la clématite, donnant l'impression d'être avalée par le grès du Yorkshire. Prisonnier de cet étau, j'ai éprouvé à cet instant le sentiment que la prairie était une bulle étanche au monde extérieur.

Ma perception s'affina, s'altéra, expérience étrange sans être déplaisante, comme si j'avais de la nature qui m'entourait une connaissance plus vive, plus intense. Cela ne se résumait pas à mes cinq sens : j'étais devenu partie intégrante de mon environnement, absorbé au point de distinguer le bruissement des fourmis au sol, le crépitement des ailes de chaque mouche, ou le bruit de mastication d'une guêpe qui grignotait un morceau de bois pourrissant en dehors de mon champ de vision. Inspirant à pleins poumons, j'ai senti l'herbe, l'ail, la prairie et le pollen porté par l'air, ainsi que l'odeur caractéristique de la marée. Un festin pour les sens. Les détails les plus infimes furent portés à mon attention : le squelette d'une petite feuille morte laissée là depuis l'hiver, le frémissement d'une tige de graminée solitaire quand ses voisines restaient immobiles. Le halètement discret du chien se cala sur le rythme de mon propre cœur qui tambourinait mes tympans, le sucre coulant dans mes veines. Une goutte de sueur roula le long de ma tempe gauche. Je me sentais vivant. Vivant jusqu'à l'extase, jusqu'au délire.

Durant ce qui me parut une éternité, et qui ne persista pourtant que quelques secondes, le temps s'est comme arrêté, le présent se figea et j'ai fini par me remettre d'aplomb, ma récolte à la main, Jojo toujours en éclaireur, soûl de sensations, avant de m'engager sur un sentier étroit qui s'enfonçait dans l'herbe drue. Le chien zigzagua entre les ronces et me guida vers un portail en piètre état qui pendait à un gond rouillé. Je l'ai poussé pour me retrouver à la lisière d'un champ parfaitement plane offrant une vue imprenable sur un terrain pentu. Ici, enfin, j'ai trouvé la mer, que plus rien ne camouflait.

Tout au bout de cette pâture, un cheval aux épais fanons leva un instant la tête avant de retourner à son fourrage, sa silhouette se découpant en ombre chinoise sur la masse d'eau scintillante à l'arrière-plan. On aurait cru que l'animal flottait là, entre deux bandes bleues et vertes que formaient le ciel, la mer et le champ.

Le chien resta à mes côtés, acceptant ma présence, et je me suis laissé emporter par la fuite du temps et par le paysage, la rêverie de cet après-midi trouvant son épilogue dans le vrombissement des insectes et le chant des oiseaux à proximité. La puissance et l'amplitude de ce que je venais de vivre avaient peut-être imperceptiblement dévié le cours de mon destin.

III

Rebroussant chemin j'ai aperçu, dissimulée tout en haut de la prairie de Dulcie Piper, accolée à la maisonnette et tapie sous un surplomb de branches, une bicoque délabrée qui, comme le bâtiment principal, donnait l'impression d'être engloutie par la végétation. Coupant à travers les hautes herbes, je me suis dirigé vers ce qui se révéla être une cabane qui avait peut-être servi de pavillon de vacances et dont le bois enduit de créosote s'était gauchi sous les assauts du soleil, du sel et de l'érosion, négligée des décennies durant mais dressée, encore solide, sur un socle surélevé de pierre compacte. La pluie avait criblé la tôle du toit cintré de taches cobalt, rappelant l'acide, là où la mousse n'avait pas installé son épais tapis. Les plaques de plomb qui recouvraient le faîte étaient intactes et les cadres de fenêtre blancs, richement décorés, avaient gardé tous leurs carreaux, bien qu'exposés aux intempéries. Un vieux tuyau de drainage en glaise pendait, cassé et inutilisable.

J'ai voulu ouvrir. La porte tint bon, bloquée par l'herbe. Même un coup d'épaule ne parvint pas à déloger le bois bombé du châssis. J'ai mis mes mains en visière pour examiner l'intérieur sombre et poussiéreux.

Même si la menuiserie sur mesure et les finitions raffinées suggéraient autre chose qu'un simple abri de jardin, c'était à présent un espace de stockage laissé à l'abandon, rien de plus, où s'entassait tout un bric-à-brac. J'ai repéré un vieux cadre de lit, ainsi qu'un buffet. Sur le plancher gisaient des cartons ramollis par l'humidité et par les années, une valise fatiguée, une conserve qui contenait un assortiment de vis, de clous et de boulons. Une chaise en rotin avec des trous énormes, comme attaquée par des souris. Une lampe à pied, sans abat-jour ni ampoule, et quantité de bougies fondues collées à l'appui des fenêtres, dont les dégoulinures cireuses avaient formé en durcissant des stalactites ou des gouttelettes opaques sur les lames de parquet maculées de taches. Des feuilles de papier cornées, abandonnées dans un coin. Deux ou trois bouteilles de vin vides. Et de la poussière. De la poussière partout.

Dulcie m'appela à cet instant et, fidèle à son nom, le chien se matérialisa quelques secondes plus tard à côté de moi pour m'ouvrir la voie, chambellan discret mais prévenant. Craignant de perturber une hiérarchie bien établie, je l'ai laissé me servir de guide.

Dulcie m'adressait des gestes depuis la cuisine, penchée sur un faitout qui crachait des panaches de vapeur dans un bruit d'eau bouillonnante. Elle ouvrit la fenêtre en grand. « Viens jeter un œil à ces beautés. »

J'ai fait le tour et je suis entré par la porte de derrière. La cuisine était aussi exiguë qu'une coquerie, encombrée de casseroles, de poêles et d'ustensiles pendus à des crochets, une vieille cuisinière roussie équipée de plusieurs plaques chauffantes et de trois fours, un grand et deux plus petits, occupant la place d'honneur. Une relique d'un temps révolu, brasier rugissant qui faisait monter la température, déjà élevée, de plusieurs degrés.

Tout autour des chandelles étaient disposées, mèche éteinte, sur des soucoupes et dans des vieilles boîtes de sardine, et au plafond était accrochée une lampe à paraffine contre laquelle Dulcie, qui me dépassait d'une bonne dizaine de centimètres, avait dû se cogner plus d'une fois.

« Tu as eu le temps de descendre à la mer et de revenir ? ai-je demandé. Pardon, de descendre *par en bas*, je veux dire.

— Impossible. C'est Barton qui rapporte les homards. Deux fois par semaine il m'en laisse deux ou trois dans l'abreuvoir sur le sentier. Du poisson, aussi. De l'églefin, du carrelet, de la raie. Ce qu'il lui reste de la pêche du jour. Un bocal de bulots. Une anguille de temps en temps. Je ne mange rien d'autre. Ça me donne du punch et du peps. Et ça entretient les neurones aussi. Regarde… »

Plongeant mon regard dans le faitout, j'ai vu deux homards, deux créatures sculptées au burin, issues des temps préhistoriques, à qui l'eau en ébullition donnait une nuance terre de Sienne.

« Ils sont énormes.

— Au contraire, ce sont des demi-portions. Mais les petits gabarits ont la chair la plus savoureuse. Les gros ont déjà un certain âge, leur goût est moins pur. Ils ont la chair cynique.

— Les pinces n'ont pas la même taille.

— Oui, celle-ci, ils s'en servent pour tenir leur proie, vois-tu, et celle-là, pour écraser les… – bon, ça se passe d'explication.

— Est-ce qu'ils se battent avec ?

— Tu te laisserais faire, toi, si on t'arrachait à ton lit douillet au milieu de la nuit alors que tu dors à poings fermés ? »

J'ai souri. « Non, j'imagine. Maintenant que j'y pense, cela m'est arrivé il n'y a pas si longtemps à cause d'un ou deux fermiers pas très sympathiques.

— Des crétins. »

Dulcie s'accroupit, ouvrit la trappe de la cuisinière, jeta à l'intérieur deux bûches qu'elle disposa à l'aide d'un tisonnier et referma la trappe.

« C'est qui, Barton ? ai-je demandé.

— Un pêcheur. Shadrach Barton, troisième du nom, plus précisément. Il vit un peu plus haut sur la colline. Un brave gars. Taiseux, en apparence, sans doute plus à l'aise sur l'eau que sur terre. À force de traquer le poisson du regard, il s'est retrouvé avec un œil qui dit merde à l'autre. Un bel organe aussi, au dire de tous. Un répertoire composé en majorité de chansons de marins mais ma foi, une fois lancé, impossible de l'arrêter. Et maintenant : l'ail. »

Dulcie tendit la main pour me réclamer ce que j'avais cueilli. Avec des gestes vifs, elle enleva les feuilles et trancha les racines pour ne garder que les bulbes, qu'elle ép! ucha et coupa en dés, avant de poser une petite poêle sur un foyer.

« Il t'apporte aussi les bûches ?

— Juste ciel, non. » D'un mouvement de tête elle montra le fond du jardin, où se dressaient un chevalet et un billot qui avaient échappé jusqu'ici à mon attention. « Cela me permet de rester sveltagile, expliqua-t-elle. Svelte et agile. À en croire l'adage, une bûche te réchauffe trois fois : quand tu lui mets un coup de hache, quand tu la portes et quand tu la brûles. »

De son garde-manger elle sortit un énorme beurrier qu'elle allégea d'un morceau de la taille d'une savonnette qui finit dans la poêle. Cette seule portion pesait plus que les soixante grammes hebdomadaires autorisés par les coupons de rationnement.

« En accompagnement il y aura du blanc. Tu veux bien aller me chercher une bouteille ? » s'enquit Dulcie, désignant de la tête sa réserve.

Dans la fraîcheur du garde-manger j'ai vu, empilées dans un casier, deux, peut-être trois, douzaines de bouteilles de vin, rouge et blanc mêlés. D'autres flacons également, contenant des alcools inconnus à mon palais. Whisky, cognac, gin, mais également liqueur de cerise et, sur d'autres étiquettes, des mots qui se révélaient à moi : grappa, schnaps, metaxa.

Du sol au plafond, les étagères ployaient sous les conserves, viande, poisson, haricots et soupe, sans oublier les différents sachets de farine – sarrasin et seigle –, en plus du sucre et du riz, des paquets de biscuits et des tablettes de chocolat. Deux gros saucissons secs, des bocaux contenant une multitude de sauces, condiments, légumes en saumure, fruits au sirop. J'aurais juré que certaines étiquettes étaient rédigées en allemand. Dans d'autres caisses, des gourmandises à la provenance exotique, figues, dattes et loukoums, des carafons d'huile de cuisine et de cordial. La jatte de beurre voisinait avec une corbeille contenant une vingtaine d'œufs et deux petites meules de fromage enveloppées de feuilles. Au sol, dans une cagette en bois, des fruits et des légumes. J'ai aussi vu des pommes, des carottes, des pommes de terre, du chou frisé, du céleri, des oignons primeur.

Introduit sous le toit d'une inconnue, cerné de toutes parts par la nourriture, je me suis senti écrasé, déphasé en un sens, comme si je m'étais une fois encore aventuré à l'intérieur d'une peinture ou d'une photographie.

« Une grande partie de ma cave a été constituée avant-guerre, m'informa Dulcie, sans doute inconsciente de ce qui se jouait en moi, sensations inédites et contradictoires. J'ai fait des provisions. J'ai pris les devants. Avec le temps, mes bonnes bouteilles ont viré au vinaigre et mon casier rempli de piquette mériterait une bonne purge. J'ai même un flacon de Lindisfarne Mead qui doit être aussi vieux que le cadavre de Cuthbert. La plupart peuvent encore se boire mais gare aux brûlures d'estomac en cas d'abus. »

Je me suis attardé dans le garde-manger. C'était la première fois que je voyais, réuni en un seul et même endroit, un tel choix d'aliments et d'alcools. Chez moi, au village, il y avait le boucher, le marchand de fruits et légumes et les autres commerces, mais même l'épicerie générale égrénait la sempiternelle litanie des denrées rationnées : jambon anglais en conserve, haricots à la sauce tomate, thé en vrac, ersatz de fromage suintant distribué par l'État, boulettes de saindoux évoquant de l'huile de moteur et confiture confectionnée, d'après la rumeur qui courait, à partir de racines comestibles mises au rebut.

Dulcie vit que j'étais en admiration devant ces victuailles. « J'ai des amis haut placés, d'autres plus bas, et d'autres encore à l'étranger, m'offrit-elle en guise d'explication. Tant que les restrictions alimentaires seront en vigueur, je continuerai à faire appel à leur générosité. »

Comme j'étais parfaitement novice en matière de vin, je ne savais pas quel blanc choisir et j'ai attrapé une bouteille au hasard.

« Tu crois que ça va durer encore longtemps, le rationnement ? »

Dulcie haussa les épaules. « Peut-être qu'on a gagné la guerre, mais la bataille contre la boustifaille insipide fait toujours rage. Pour ma part, je refuse de rendre les armes. »

J'ai tendu le vin à Dulcie qui se contenta de jeter un coup d'œil à l'étiquette, occupée à râper des copeaux d'ail dans le beurre qui se liquéfiait.

« Excellent choix. Tu veux bien l'ouvrir ? Le tire-bouchon est dans le tiroir. »

J'ai trouvé le tire-bouchon, que j'ai manipulé avec maladresse, j'ai calé la bouteille entre mes genoux et j'ai réussi à l'ouvrir sans casser le liège et sans m'en renverser dessus. Dulcie me la reprit des mains, versa un trait de vin dans son beurre et but une franche rasade à même le goulot.

Enfin, elle se lécha les babines.

« Tu sais, Robert, je suis tellement habituée à la seule présence de Jojo pendant les repas que j'en oublie les bonnes manières. Pardonne-moi. Des verres – deux, s'il te plaît. »

Elle remplit les verres et m'invita à trinquer. J'ai porté le mien à mes lèvres et avalé une grande lampée. À la sensation de mordant initiale succéda une chaleur qui se diffusa dans ma gorge, dans ma poitrine, puis au creux de mon estomac. La première fois qu'un liquide m'apparaissait sec, en un sens, mais sans que cela soit totalement déplaisant. À la gorgée suivante, le vin coula dans mes veines comme une exquise douleur. Il régnait dans la cuisine une chaleur d'étuve.

Dulcie souleva le faitout et le vida de l'eau qu'il contenait. « Les homards sont prêts », annonça-t-elle. Équipée d'une pince, elle les sortit et les déposa sur des assiettes qu'elle me confia. « Nous mangerons hors les murs.

— Bien, dis-je sans bouger d'un centimètre. Formidable.

— Dehors, donc.

— Oh, bien sûr. »

J'ai quitté la cuisine, Dulcie sur les talons. Elle posa sur la table deux petites coupelles, l'une avec le beurre d'ail, l'autre avec les feuilles hachées, qui allèrent rejoindre une planche à découper sur laquelle attendait une demi-miche de pain, déjà explorée par deux mouches.

Alors que je me tenais assis, raide et droit comme un i, elle me passa un casse-noix et se retroussa les manches. « Je vais te montrer. Certaines personnes font la fine bouche mais c'est dans les pinces, les articulations et la queue que l'on trouve la chair la plus fine. Maintenant, observe. »

Dulcie empoigna une pince qu'elle détacha du corps par une brusque torsion, le homard arborant à présent un bel orange brûlé, des volutes de vapeur jaillissant des fentes entre les plaques de sa carapace. On aurait presque dit un jouet, un accessoire de théâtre macabre.

Elle se figea en plein geste, me toisa et secoua la tête. « Il va falloir que tu te décoinces, jeune homme. Regarde-toi : au garde-à-vous comme la bite d'un gardien de phare. Repos, soldat. »

Alors, d'une main douce et adroite, elle exerça une pression sur l'articulation de la pince jusqu'à ce qu'elle cède et révèle un croissant de pulpe blanche et pure. Ce morceau, elle le plongea par deux fois dans le beurre d'ail puis, l'approchant de ses lèvres, entreprit d'en extraire la chair. Ensuite, elle enfourna un morceau de pain qu'elle fit descendre d'une gorgée de vin, récupéra le casse-noix, s'en servit pour briser la plus grosse des deux pinces et rattrapa deux ou trois miettes à l'intérieur de la carapace disloquée. Un morceau massif tomba en plein dans son assiette. Elle piqua des feuilles d'ail sur les dents de sa fourchette puis, du tranchant, fendit le bloc de chair et replongea le tout par deux fois dans le beurre, émettant des mâchonnements sonores et un râle de plaisir : *mmm-hmmn.*

« Absolument divin, » lâcha-t-elle la bouche pleine, recrachant un bout de verdure qui resta collé un instant à sa lèvre avant d'atterrir sur la table. Dulcie fit claquer la langue, sourit et reprit du pain.

« Sers-toi, Robert, avant que la pauvre bête ne se fasse la malle. »

Calquant mes gestes sur les siens, je suis parvenu à extraire la chair encore tiède de mon homard qui, ce matin encore, à l'heure où je me réveillais et m'étirais à l'ombre d'une haie, trempé jusqu'aux os, courbaturé et maudissant la chorale qui saluait l'aube, se baladait dans les profondeurs marines où les hauts-fonds reflétaient le soleil levant, et toute la vie dansait, réchauffée par ses rayons. À mon tour je l'ai plongé dans le beurre fondu, même couleur que le jaune d'œuf, même texture crémeuse, et je l'ai laissé quelques instants sur la langue. Inutile de mâcher : ça fondait tout seul, c'était onctueux, avec un arrière-goût subtil d'iode. Jamais je n'avais mangé quelque chose d'aussi frais ; les harengs que ma mère passait à la poêle le vendredi, sans cacher son dégoût, étaient en comparaison de vieux morceaux de cuir, pas loin de la semelle d'une botte de mineur, et la maison empestait le fumoir jusqu'au lundi.

La chair des articulations fut dégustée sur du pain garni de feuilles d'ail et imbibé par deux fois de beurre.

« Le vin, fit remarquer Dulcie. Tu n'y as pas touché. »

J'ai pris une nouvelle rasade, que j'ai savourée quelques instants. Toujours trop acide à mon goût, mais l'empreinte salée laissée par le beurre émoussait son attaque, aussi coupante que la lame d'une faucille.

« Et le meilleur pour la fin, » déclara Dulcie.

Elle attrapa le crustacé à pleines mains et, d'un seul et même mouvement, plia la queue et la détacha du corps. Un épais cylindre de chair en jaillit, arraché à la carapace bombée comme un animal passant le museau par un trou.

« Tiens, tu vois cette pâte verdâtre à l'intérieur ? C'est le foie. Excellent dans les bisques ou les sauces. Ça se mange aussi. Chez les femelles on trouve une substance rouge, semblable à du corail : les œufs. Pareil, un régal. Là, on a un mâle. Il ne nous reste plus qu'à enlever ce machin. »

Là-dessus, elle tira sur une longue veine filandreuse qu'elle jeta dans le jardin.

« Pour les oiseaux ou les bestioles. Ou Majordome. »

Faisant de même, j'ai découvert que la chair contenue dans la queue était plus délicate encore. Nous avons repris du pain et du beurre d'ail, fini une salade. Dulcie remplit nos verres et nous sommes restés assis sans parler.

« Donc tu es venu voir la mer.

— Oui. Par chez moi elle est grise à cause de la suie et les gens ramassent sur la plage le charbon rejeté par la marée, ils en remplissent de grands sacs qu'ils empilent sur leur charrette. Ici, c'est différent : le sable a l'air beaucoup plus propre. On vit assez loin des côtes, on ne s'y balade pas souvent. Ce sont les mouettes qui viennent nous rendre visite. C'est agréable de passer un peu de temps près de l'eau. »

La prairie et le vin m'avaient d'une certaine façon délié la langue et, à ma grande surprise, je me suis retrouvé plus en verve que je ne l'avais jamais été, que ce soit avec un inconnu ou un visage familier. Dulcie acquiesça.

« À qui le dis-tu. Quoique, si tu poursuis ta route, tu arrives sur Hull et sur la rivière Humber et, derrière, Grimsby. Là, tu risques de déchanter.

— Je me suis dit que j'irais voir Scarborough d'abord. Peut-être chercher du travail.

— Dans quel secteur ?

— N'importe. Chanteur de rue, peut-être.

— Musicien, tu veux dire ? »

De ma poche, j'ai sorti la guimbarde. Je l'ai collée à mes lèvres et, actionnant la languette, j'ai attaqué une mélodie discordante.

Dulcie sourit d'une oreille à l'autre avant de partir d'un rire franc. « Celle-là, je la connais : *Oh, c'que j'aime aller à la mer.* »

J'ai accéléré les vibrations de la lamelle et la mélodie d'origine, connue de tous, que j'essayais d'exécuter, céda la place à un air monocorde et rauque qui s'emballa, vite, plus vite, émaillé de sons cadencés, joués staccato. Une torture pour les oreilles, comme une guêpe prise au piège, mais au cours des semaines précédentes je m'étais assez fait la main dessus pour en tirer à l'occasion des accords identifiables.

« Merveilleux. Bravo à toi, et sage décision de mettre à ton répertoire les vieilles rengaines populaires. Je jetterais une petite pièce dans ta casquette si je passais par là ; cela ne m'étonnerait pas que d'autres fassent de même, surtout si tu arrives à maîtriser « À la revoyure » ou l'infâme « Les falaises blanches de Douvres ». Touche la corde sensible, voilà mon conseil. Ça marche à tous les coups. Tiens, tu sais d'où la ville de Scarborough tient son nom ?

— Non, ça ne me dit rien.

— Peu de gens le savent. D'un autre côté, certains ne prennent pas la peine d'ouvrir un seul livre de leur vie – je ne parle pas de toi, tu fais mieux que tout le monde : tu vis ta vie. Mais il y en a pour qui même le journal ne sert qu'à éponger le gras des frites et ramasser la crotte du chat. Enfin bref, Scarborough porte le nom de deux Vikings, Thorgils et Kormak Ödmundarson. Ou d'un seul des deux, maintenant que j'y pense.

— Je ne vois pas trop le rapport entre Scarborough et les Vikings.

— J'y viens.

— Pardon. »

Dulcie sourit par-dessus son verre. « Ne demande pardon que si tu as des regrets. Bon, plantons le décor. Deux frères, Thorgils et Kormak. Des gibiers de potence mais dans la société viking, vois-tu, c'était parfois considéré comme un atout car les codes moraux de l'époque n'avaient rien à voir avec le contexte actuel. »

Dulcie finit son vin d'un trait, se resservit et avala une gorgée bruyante.

« En l'an 966 après J.-C., après avoir décidé d'écrire les sagas nordiques à coups de poing et de hachettes, les frangins ont embarqué sur leur chaloupe en entraînant avec eux une petite armée de solides lascars et ils ont quitté leur patrie en quête d'aventures et de trésors à piller – un peu comme toi et ton épopée, en fait.

— Je n'appellerais pas ça une épopée. Des vacances, plutôt.

— Voyager, c'est partir en quête de soi, crois-moi. Et parfois seule la quête importe.

— C'est ce que tu penses ?

— J'en suis convaincue. Promène-toi le nez au vent et les yeux grands ouverts et en un rien de temps, tu feras tout un tas de découvertes. Les grands voyages ne se limitent jamais à leur destination.

— Oui. Par exemple, ce matin j'étais loin de me douter qu'avant la fin de la journée j'aurais goûté du homard, du citron ou du vin.

— Exactement. C'est *tout à fait* ça. C'est précisément ce que j'essaie d'expliquer : les yeux grands ouverts. L'expérience. Mais je m'éloigne du sujet. Nos deux frérots. Eh bien, ils ont mis cap vers le sud et traversé des mers houleuses et glaciales pour lancer une série de razzias sans pitié sur les côtes britanniques.

— Ils étaient partis d'où ?

— Pas la moindre idée. Si je devais jouer aux devinettes, je dirais l'Islande. *Ögmundarson*, cela sent à plein nez cette tradition islandaise qui veut que les hommes collent le suffixe – *son* au prénom de leur père. Donc Thorgils et Kormak, fils d'Ögmundar, deviendraient

Thorgils et Kormak Ögmundarson. Et toi, tu t'appellerais – quel est le prénom de ton père ?

— Ronald.

— Parfait : Robert Ronaldsson, plus nordique tu meurs. Ainsi donc les deux frères ont quitté l'Islande et quand ils ont débarqué sur ces rives étrangères ils ont retourné leur chaloupe, ils s'en sont servis quelque temps comme abri et le moment venu ils ont fondé une forteresse dans une spectaculaire enfilade de criques reliées entre elles et adossées aux collines verdoyantes ici, sur ces côtes. Ils ont donné à cette colonie le nom de *Skarthaborg*, s'inspirant du sobriquet de Thorgil, *Skarthi*, qui se traduit par Bec-de-lièvre.

— Bec-de-lièvre ?

— Eh oui. Figure-toi que Thorgil était né avec cette malformation qui, en réalité, a fait décoller sa carrière de Viking. Toutes les brimades subies enfant l'avaient rendu amer, irascible et violent – qualités requises chez un guerrier. « Mets-lui un coup de tisonnier et regarde-le s'embraser », plaisantaient ses congénères avant de se bidonner, bien emmitouflés dans leurs peaux de baleine.

— Le pauvre.

— Ne t'emballe pas trop. Parfois il suffisait de lancer un regard de travers à Thorgils pour qu'il te dépèce avec sa serpette. Alors, garde ta compassion bien au chaud, car les souffrances qu'il a infligées l'ont emporté, et de beaucoup, sur les taquineries cruelles que ses hirsutes camarades lui ont fait subir.

Brutalités, incendies, rapines, viols, meurtres – ce n'étaient pas des tendres, et ils sont arrivés à leurs fins par un déchaînement de fureur. Ils n'avaient pas besoin d'une invitation pour entrer dans la maison ou le lit conjugal de qui que ce soit, tu peux me croire.

— On a eu une leçon sur les Vikings.

— Dans ce cas, je ne t'apprends rien. La légende raconte que dans la riante bourgade de Bec-de-lièvre, les habitants appréciaient les parties de pêche et les galipettes avec les femmes du coin qui n'avaient pas pu fuir la région. Je l'ai dit plus tôt, Thorgils et Kormak Ögmundarson étaient de vrais salopards, mais des Vikings de premier ordre. Naturellement, ils se sont très vite multipliés et ce petit bastion qu'ils édifiaient a accueilli une véritable tribu, puis un village entier, et le village est devenu une ville qui s'est étalée sur les deux anses. Bien entendu, ça leur a coûté des siècles de conflits, de chicanes et de mutineries, et les frères Ögmundarson étant, après tout, de simples mortels, n'ont pas vécu assez longtemps pour être témoins de cette évolution, même s'ils ont transmis leur patrimoine génétique à nombre de nos contemporains. Il a fallu attendre que de nombreux, très nombreux siècles s'écoulent avant de voir la station balnéaire telle qu'elle existe à l'heure actuelle, Skarthaborg, connue également sous le nom de Scarborough, environ mille ans après ce jour où les Ögmundarson y ont salé de la morue pour la toute première fois et où Thorgils Ögmundarson a éparpillé la cervelle de Bjarni Sigmundsson avec une dame de nage rouillée parce qu'il en avait ras-le-bol qu'on l'appelle *Skarthi*.

— C'est qui, Bjarni Sigmundsson ?

— Aucune importance. »

L'obscurité s'installa sur la prairie comme le filet d'un bateau de pêche qui lentement s'enfonce dans l'eau profonde, le soleil s'effaçant, les ténèbres enveloppant le monde.

Le crépuscule avait cédé la place à la nuit tandis que nous vidions consciencieusement la bouteille de vin et l'heure était trop tardive pour reprendre la route, sans compter que je ne trouverais aucun endroit où dormir en dehors des pas-de-porte et des ruelles, au pire de la plage, où un imprudent pouvait être emporté par la marée.

Alors, au point culminant de la prairie, j'ai dressé une tente de fortune au moyen de mon tapis de sol et je me suis faufilé dessous avec mon sac de couchage et une petite flasque contenant du thé dans laquelle Dulcie avait versé une lichette de whisky. La vieille femme m'avait également proposé le concours de Majordome, mais j'avais refusé qu'il monte la garde. Je n'avais pas peur du noir. Au contraire, je m'en délectais.

L'air était vif et pur, les températures s'étaient considérablement rafraîchies et, allongé sur le dos, je regardais le ciel décliner la gamme des bleus, étourdi par l'alcool et l'estomac ballonné, lâchant des gargouillis causés par ces ripailles et tout ce beurre, qui concluaient plusieurs semaines de repas rudimentaires. Un prisme de lumière jaillit d'une fenêtre à l'étage de la maisonnette, traversa le jardin et se perdit au-delà de la clôture avant de disparaître, laissant l'obscurité s'installer dans la prairie. Une obscurité qui n'est jamais une masse inaltérable et, au bout d'un certain temps, la silhouette des branches qui se balançaient se découpa contre le ciel et la nuit devint une expérience multidimensionnelle, un millefeuille de teintes chatoyantes qui abrogeait les lois de la perspective et faisait douter de son propre jugement. Premier plan et arrière-fond parurent permuter et la nuit offrit une séquence d'illusions dignes d'un prestidigitateur dans un théâtre de velours sombre dirigé par des créatures d'os et de sang.

Attentif à la bande-son changeante, j'ai entendu les animaux diurnes donner le relais aux noctambules qui faisaient de la prairie leur royaume, avec leurs proies, leurs envolées, leurs cris et leur traque. L'équipe du soir était arrivée et ces créatures s'accordaient pas à pas à la façon d'un orchestre amateur qui se retrouve après un long hiatus. Des papillons de nuit battaient l'air, en rythme, de leurs ailes sèches et frémissantes près de la lampe éteinte fixée en hauteur au bout du sentier de Dulcie, et les chauves-souris émettaient un cliquetis tandis que leur ombre s'abattait sur les insectes pour les rafler par dizaines, dessinant des cercles irréguliers et convulsifs, se nourrissant frénétiquement tout en cartographiant le ciel nocturne.

Des mulots traçaient d'étroits sillons sinueux dans l'herbe sous l'œil vigilant d'une chouette effraie, silencieuse sur son poste d'observation au sommet d'un arbre. Du regard, j'ai fouillé le bleu qui s'enténébrait, plusieurs minutes, avant de repérer sa silhouette et, alors, vision fugace, ses grands yeux qui jamais ne cillaient, comme deux lunes barrées par le ruban d'un nuage effiloché.

À cet instant j'ai senti monter en moi une sorte de solidarité avec ces marins solitaires et ces pêcheurs perdus en mer qui n'avaient que le clignotement de leur lampe pour rappeler leur existence, le rivage de leur pays et le douillet lit conjugal aussi distants que les autres planètes – visibles mais hors d'atteinte, tenant entre le pouce et l'index, alors qu'ils étaient portés sur la houle inoffensive, avec l'immense douleur de la nostalgie pour unique ancre.

Au loin j'ai distingué un hululement, suivi de l'aboiement ininterrompu d'un chien isolé qui s'élevait de la cuvette descendant jusqu'à la mer. Je n'ai pas touché au whisky-thé. La nuit suffisait à me griser. En temps voulu, elle m'avala entièrement.

IV

Une symphonie bien différente m'attendait au réveil.

À l'équipe de nuit avait succédé une ménagerie vouant un culte au soleil et résolue à jouer la sérénade sous mes fenêtres, l'aube à peine annoncée par le premier rayon, encore timide.

Alors, dans les arbres, les nids, les haies et la prairie tout entière, ce fut un concert assourdissant.

Prolongeant mon séjour sous la tente, j'ai dressé un inventaire ensommeillé des chants. Il y avait le mantra polyphonique et compassé, à rythme binaire, de deux pigeons ramiers au repos, le premier tout près, l'autre à bonne distance, qui se renvoyaient leur satisfaction. À leur ramage se greffait la querelle d'une meute braillarde de mouettes, ces cuistres ramenés à l'intérieur des terres par un courant ascendant, et partout les insectes vrombissaient et bombillaient, pondant des œufs et proliférant, prenant leur envol en quête de nourriture. Tiques, abeilles, phalènes, mouches. Sauterelles, fourmis et coléoptères divers et variés – créatures tout juste écloses nées dans la rosée de l'aurore et séchées par le soleil matinal, s'ébrouaient et partaient à la conquête de cette nouvelle journée. On entendait également des grattements et le froufrou mélodieux des ailes de papillons fraîchement déployées, plus fines que le papier, plus belles qu'un vitrail.

Sur l'autre versant de la vallée les moutons avaient quitté leur enclos, chaque brebis en contact permanent avec son agneau aux pattes grêles, leurs bêlements plus ou moins insistants tenant lieu de conversation. Et toujours ce chien solitaire avec ses jappements obstinés, je n'aurais pas été étonné que ce soit le même que la veille, ni qu'il ait oublié ce qui avait déclenché ses aboiements.

Non loin de là, quelque part au-delà de l'orée de la prairie où les pâtures à perte de vue formaient une mosaïque de terre labourée ou laissée vierge, me parvint la toux étranglée d'un jeune chevreuil, roulé prudemment en boule et enfoui dans la végétation, peut-être blotti dans les herbes fraîches et pourtant sauvages, assez proche pour qu'on l'entende, n'osant jamais dormir au même endroit deux nuits à la suite. Il y eut un grognement soudain, semblable au raffut d'un moteur, à un grommellement de plaisir au réveil, puis vint le silence.

Le réveille-matin de la Nature me signalait qu'il allait bientôt falloir se lever. Cette cacophonie ne me laissait guère le choix, même si je suis resté sans bouger quelques instants encore tandis que le soleil réchauffait la toile grossière de mon abri, ses rayons balayant la colline.

J'ai dû m'assoupir car en reprenant conscience j'ai trouvé Majordome posté, silencieux, à l'entrée de mon bivouac. La tête inclinée de trois ou quatre centimètres, ses sourcils haussés rendant plus éloquente une mimique déjà expressive. Comme je n'avais jamais eu de chien, l'occasion de se pencher vraiment sur leur comportement ne s'était pas présentée jusque-là – dans mon village ils vagabondaient en toute liberté, fourrageant dans les poubelles et évitant autant que possible de finir sous les roues des camions chargés de charbon qui dévalaient la rue – mais je commençais à décrypter le langage du compagnon de Dulcie.

« Bonjour, Majordome. Bonjour, le chien. »

Les oreilles rabattues, l'animal s'assit sur son arrière-train, fermement campé sur ses pattes avant. À contre-jour, les zones plus claires de son épais pelage se paraient de reflets couleur rouille ; dans ses poils brun roux s'étaient logées çà et là des graines d'herbe, en passagers clandestins, durant sa promenade matinale, et aussi du gaillet gratteron dont les minuscules crochets laissaient l'impression que les feuilles étaient adhésives. Je me suis penché pour le décoller, le chien ne s'en formalisa pas. Je l'ai gratouillé derrière l'oreille, à titre d'expérience, et sa réaction consista à me mettre un coup de truffe sur la main et à tourner la tête, par deux fois.

Message reçu : on réclamait ma présence.

Même si le fond de l'air était encore frais, le soleil déversait du verre fondu à la surface d'une mer toujours indifférente et sur la table, devant la maison, m'attendait ce qui restait de la miche de la veille : des pots de confiture, du miel, du beurre et de l'infusion d'ortie qui avait rosi dans la théière. Des pommes, aussi, et une petite jatte de crème. Dulcie était assise à la table, coiffée d'un chapeau aux bords si larges qu'il en devenait comique, le visage dissimulé par un livre à la couverture cartonnée. Le chien me conduisit à la table avant de s'allonger dessous. Peut-être la matinée était-elle plus avancée que je ne le pensais.

« Bonjour », dis-je.

Dulcie abaissa son livre et mit sa main en visière. « As-tu bien dormi ?

— Comme un loir.

— J'ai envoyé Majordome te chercher avant que la crème ne tourne.

— Quelle heure est-il ?

— Aucune idée. Désolée, je n'ai pas de montre. Je me fie à la radio, ou à mon estomac. Du thé ?

— Oui, s'il te plaît.

— Je ne suis pas du matin, donc je te pose une dernière question, et j'attends de ta part une réponse concise : des œufs, ça te tente ?

— Oh, non. Il y a déjà tout ce qu'il faut.

— Dans ce cas, sers-toi. »

Dulcie versa du thé dans ma tasse et je l'ai rejointe à la table où nous avons bu et mangé sans échanger un mot, chassant de temps en temps les guêpes qui s'intéressaient de près à la confiture.

« C'est très gentil à toi... », ai-je commencé.

Dulcie balaya le compliment d'un revers de main, comme s'il s'agissait d'un insecte importun.

Les minutes s'égrénèrent et le soleil se hissa dans le ciel, repoussant lentement les ombres qui raccourcissaient à la frontière sud de la prairie.

Une fois mangés le pain et les pommes, chacun la sienne, et la théière vidée, une boulette de feuilles d'ortie macérant au fond dans un brouet verdâtre, Dulcie s'adossa à sa chaise, les paupières closes.

« Merci. Le silence est d'or, en vérité.

— De rien.

— Tu ne parles pas à tort et à travers, et ça me plaît. Il y a de la poésie dans le silence mais la plupart des gens y sont insensibles. Ils jacassent, ils causent et ils causent, mais ils ne disent rien parce qu'ils ont peur d'entendre battre leur cœur. Peur de leur propre finitude. »

Une poignée de minutes s'écoula avant que Dulcie ne rouvre les yeux.

« Figure-toi que cela fait un bon paquet d'années que je n'ai pas dormi sous la tente. Plusieurs dizaines, si ça se trouve.

— Tu devrais peut-être essayer.

— Ça ne m'attire pas plus que ça. Est-ce qu'on reste au sec là-dessous ?

— Plus ou moins. Si on la monte correctement, oui.

— Et pour ce qui est des affaires intimes ? »

Ne voyant pas où elle voulait en venir, j'ai eu un temps d'hésitation, mais Dulcie ne se fit pas prier pour remplir les pointillés à ma place.

« La petite commission, et la grosse surtout. L'hygiène personnelle.

— Oh, ça, fis-je, indécis. Eh bien, j'ai une truelle. »

Dulcie leva la main. « Pas la peine d'entrer dans les détails : l'humanité s'est parfaitement débrouillée pendant des millénaires sans l'assistance de Mr. Thomas Crapper et de son ingénieuse invention. Et il y fait assez chaud, rassure-moi ?

— Souvent j'allume un petit feu, à la fois pour me tenir compagnie et pour me réchauffer.

— Pas étonnant. L'homme trouve réconfort au coin du feu depuis des temps immémoriaux. Il me semble qu'on a mis à jour des éléments qui prouvent qu'il s'est mis à cuire ses aliments il y a près de deux millions d'années. Stupéfiant. »

J'ai mordu une dernière fois dans mon trognon.

« Dormir dans la prairie cette nuit, c'était comme dormir dans un autre monde. Certains bruits m'ont servi de berceuse, d'autres m'ont réveillé.

92

— Oui, c'est l'aspect sauvage de l'endroit que j'apprécie particulièrement, répondit Dulcie, la main de nouveau en visière. Mais ça devient incontrôlable. Je ne mens pas, regarde... » De l'index, elle montra la clôture à laquelle donnait l'assaut une variété de mauvaises herbes. « Un jour elles vont engloutir le jardin et la maison, et il ne me restera plus qu'à vivre comme toi sous ta petite tente rigolote, esclave de la renouée et des renoncules. Et charger le chien des emplettes. »

Au bout d'un moment, j'ai repris la parole.

« J'ai jeté un coup d'œil au cabanon hier.

— Le cabanon ?

— Oui, au fond de la prairie, par là-haut. »

Dulcie se mit soudain debout et s'affaira, débarrassant la table. Elle jeta croûtes et miettes sous la table, pour Majordome, et lui présenta une cuillérée de confiture qu'il nettoya d'un coup de langue.

« Il est plutôt en mauvais état », ai-je ajouté.

En guise de réponse, Dulcie empila les tasses et la théière sur un plateau.

« On dirait que la prairie essaie de l'avaler. Mais la structure a l'air saine.

— Eh bien, il ne m'est d'aucune utilité à l'heure actuelle. »

Dulcie fronça les sourcils, réfugiée dans l'ombre projetée par le rebord de son chapeau.

« J'ai trouvé qu'elle avait meilleure allure qu'une remise ou une maison de vacances ordinaire », ai-je insisté.

À cela elle ne répondit rien et se contenta de gagner la cuisine chargée des assiettes. Alors je me suis rappelé les règles du savoir-vivre et j'ai sauté sur mes pieds afin de rapporter les pots et la jatte de crème. Dulcie empila les assiettes dans l'imposant évier de pierre, à côté de la vaisselle sale de la veille.

« Je vais laver tout ça avant de partir. C'est le moins que je puisse faire.

— Il vaut mieux les laisser tremper.

— Ça me ferait plaisir.

— Inutile. Laisse l'eau chaude travailler à ta place. Il y a des choses autrement plus importantes dans la vie ; moins on bosse, mieux on se porte. Jamais plus que le minimum syndical, tel est mon credo. Tout dans la modération, y compris la modération, et le tralala. Oscar Wilde.

— Tu as été très généreuse en cuisinant pour moi et en m'autorisant à rester dormir. »

Une fois encore elle agita la main dans ma direction, un geste vague et dédaigneux. « Tu as campé dans la prairie ; on est loin du Ritz.

— Il y a bien une tâche que tu peux me confier avant que je reprenne la route. Peut-être m'envoyer chercher du ravitaillement par en bas ?

— Oh, je ne manque de rien, ne t'inquiète pas pour ça.

— La prairie, alors. Tu ne veux pas que je m'attaque aux mauvaises herbes ?

— Mais tu n'as pas une destination à atteindre, Robert ? Je te croyais impatient de voir la mer.

— Eh bien, je peux la voir d'ici, en me tordant un peu le cou. Tu l'as dit hier, la mer ne risque pas de disparaître du jour au lendemain. Cela ne prendra que quelques heures de rabattre la végétation d'un mètre ou deux. Comme ça, le jardin pourra respirer un peu, après quoi je reprendrai ma route. Je n'ai pas aussi bien mangé depuis des semaines – et même une éternité, maintenant que j'y pense – et jusqu'ici j'ai été payé en nature, avec de la nourriture.

— Un bon repas, ce n'est pas un salaire : c'est un droit que Dieu a accordé à tous les hommes et à toutes les femmes. Mais si tu insistes, va donc chercher la faucille et amuse-toi avec, encore que cela ne serve pas à grand-chose. À ta place, si je voulais voir le monde – et il se trouve que j'en ai vu une bonne partie – je ne ferais pas de vieux os ici, en compagnie d'une vieille bique couverte de toiles d'araignée et son clébard. Mais ne te gêne surtout pas, rabats autant que ça te chante. Il va falloir que je te donne des gages, j'imagine. »

J'ai souri. « Mes gages, c'était le dîner.

— Tu n'as pas écouté ce que j'ai dit.

— J'ai pensé qu'en travaillant au jardin, ça paierait le homard.

— Ne te déprécie pas, Robert : c'est ta conversation et ta compagnie qui ont payé le homard. Mais à ta guise. Il y a des outils dans l'appentis de l'autre côté de la maison. Tu y trouveras ce dont tu as besoin. »

La faucille était aussi coupante qu'un couteau à poisson mais j'ai mis la main, dans l'appentis, sur une vieille pierre à affûter enduite de moisissures que j'ai nettoyée avant de m'en servir pour rendre son tranchant et son lustre à la lame courbe dont l'acier était ébréché.

Deux étés auparavant, au village, on m'avait chargé de tondre le terrain de cricket, en me payant une misère, et les longues journées fastidieuses consacrées au lopin de mon père m'avaient appris le b.a.-ba de l'entretien d'une parcelle. Par conséquent, je me suis immédiatement attelé à la tâche en éclaircissant la végétation, les plantes indésirables surtout, sur le pourtour du jardin. Saisissant des touffes d'une main, maniant la faucille de l'autre, je n'ai pas vu les résultats que j'espérais et j'ai commencé à donner des coups violents. Suivant la ligne tracée par la clôture, j'ai remarqué que le bois des piquets commençait à pourrir et qu'une couche de badigeon n'aurait pas été du luxe. Là encore la peinture, cloquée et pelée, avait subi les attaques des embruns et de l'herbe humide, et des squames blanches tombaient à chaque fois que je me cognais dedans par mégarde. La clôture perdait la bataille contre la prairie. À ce stade, elle n'avait plus qu'une fonction décorative. Symbolique.

Au bout de quelques minutes, j'étais en nage. À force de me voûter et de lever haut la faucille, j'ai commencé à sentir une raideur dans le bas du dos, alors je suis retourné à l'appentis et j'ai farfouillé. Dans une vieille boîte à chaussures au coin grignoté, je suis tombé sur un nid de souris bâti avec du foin et des brindilles que j'ai précautionneusement remis en place. Au fond, derrière des flacons de paraffine, des cadres à photo cassés et un arrosoir, se cachaient des cisailles à longues poignées, si vétustes que la rouille bloquait l'écrou. Je me suis mis en quête de lubrifiant, sans succès, malgré la découverte de quantité de torchons graisseux et d'une salopette maculée de taches couleur de pus et de mouchetures de peinture chamarrée. J'ai fait le tour de la maison pour gagner la porte de derrière, à laquelle j'ai toqué timidement, et, comme personne n'est venu ouvrir, j'ai frappé une seconde fois, plus fort, puis j'ai entrebâillé la porte et j'ai appelé Dulcie.

Elle me répondit depuis l'étage. « Oui, qu'y a-t-il ? »

J'ai eu l'impression soudaine de lui imposer ma présence.

« Excuse-moi…

— Quoi ?

— J'ai dit excuse-moi… »

Sa tête apparut en haut de l'escalier. « De quoi t'excuses-tu ?

— Je voulais juste savoir si tu avais de l'huile. Il m'en faudrait pour les outils.

— Seulement de l'huile de cuisine. Ce qui devrait faire l'affaire. Il y en a des bidons entiers dans le garde-manger. Sers-toi. »

Et elle disparut.

Avant de retourner dehors j'ai entraperçu le salon dans lequel trônait un buffet vitré, un mastodonte qui occupait toute la pièce et accueillait un service à vaisselle entier. Il y avait aussi une cheminée et un fauteuil, des piles de livres et de papiers dans chaque renfoncement et deux ou trois bouteilles de vin vides. Sur le rebord de la cheminée, une photographie représentant une jeune femme – Dulcie, peut-être ? Sur un autre cliché, deux femmes aux traits indistincts et je n'ai pas voulu venir voir de plus près, de peur d'être trop indiscret. Une horloge faisait entendre un assourdissant tic-tac.

J'ai huilé l'écrou, affûté les lames de la cisaille et repris mon travail, donnant de bons coups à l'herbe, aux plantes colonisatrices et aux orties. Les zones plus denses exigèrent le retour de la faucille et je me suis imaginé dans la peau d'une sorte de bourreau, dégageant autour de la clôture un passage d'une largeur de trente centimètres que j'ai ensuite entrepris d'élargir. De temps en temps je lâchais mon outil pour ratisser ce que j'avais taillé, m'éponger le front et reprendre haleine. Parfois je m'arrêtais pour sauver un escargot, une limace ou un lombric qui se trouvaient sur le trajet de la lame.

Une fenêtre s'ouvrit à l'étage, la voix de Dulcie en jaillit : « Souviens-toi : pas touche aux orties. »

J'ai souri, le pouce levé. Puis j'ai retiré ma chemise, que j'ai accrochée à la clôture, et je me suis remis à la tâche.

Alors que le soleil du matin traversait lentement le ciel, une musique raffinée flotta au-dessus de la prairie. Je me suis redressé, assouplissant mes muscles raidis et, l'oreille tendue, j'ai distingué une mélodie guillerette jouée au piano puis une voix d'homme, un type de la haute, entonner une chanson qui parlait des Allemands. La musique sortait des fenêtres grandes ouvertes. Dulcie apparut dans le jardin et me fit signe.

« Celle-là, je te la dédie.

— Quoi ? » ai-je lancé, car sa voix était couverte par la musique.

La main en porte-voix, elle haussa le ton.

« Je me suis dit que ça te donnerait du cœur à l'ouvrage. C'est une chanson satirique. »

Je me suis rapproché de la maison en enjambant la clôture.

« Noël Coward, fit Dulcie. Un morceau caustique qui incite à la compassion envers nos soi-disant ennemis jurés. J'ai trouvé que c'était tout à fait adapté à notre conversation d'hier soir. Tu connais ?

— Non, je n'ai pas l'impression.

— C'est parce que la BBC l'a interdite d'antenne. Peut-être n'arrivaient-ils pas à déterminer le degré de cruauté : trop, pas assez… Quoi qu'il en soit, ils n'ont pas été sensibles à son humour. C'est un ami à moi. »

J'ai posé la cisaille et, de l'avant-bras, je me suis essuyé le front.

« Il m'envoie tous ses disques à leur sortie, poursuivit-elle. Que j'en veuille ou non. D'après la rumeur, son nom figurait dans le Livre Noir, vois-tu. La liste que le petit Führer et ses acolytes SS avaient dressée des gens qu'ils avaient l'intention de ratisser et d'éliminer dès qu'ils auraient envahi la Grande-Bretagne. Une sorte de Bottin mondain de snobinards et d'originaux. J'imagine qu'elle ressemblait un peu à mon ancien carnet d'adresses. Allez, je te la remets. »

J'ai écouté quelques instants. La voix, chic et un chouïa efféminée, évoquait elle aussi une Angleterre qui ne m'était pas familière. J'ai essayé d'imaginer son propriétaire en train de coudre un ourlet, de pousser un wagonnet à charbon ou de raconter des blagues grivoises au foyer communal un samedi soir. Pas moyen.

« Et qu'est-ce qui lui a valu d'atterrir sur la liste de Hitler ? »

Dulcie haussa les épaules. « Qui refuserait de figurer dans un inventaire de dissidents, de dégénérés et de vieilles tapettes présentant un danger intolérable au Reich ?

— Il y avait beaucoup de monde sur cette liste ?

— Oh, des centaines de personnes, j'imagine. Peut-être des milliers. Tout le gratin. On foutrait la paix, évidemment, aux raseurs et aux capitulards.

— On serait gouvernés par les Nazis aujourd'hui s'ils avaient gagné la guerre. »

Dulcie secoua la tête, lâchant un petit bruit désapprobateur. « Pire, Robert. Bien pire. Par ces pisse-froid à la botte, et à la solde, des fachos. Des fins de race abrutis et des lèche-mollards. Dehors, les poètes et les divas, les artistes ou les chochottes. Place aux gratte-papier et aux pétochards, une espèce plus méprisable encore que ce qu'on a actuellement à la tête du pays. Une légion de chefaillons bedonnants qui auraient été les accoucheuses de la chute de l'Angleterre, les mains rouges de sang. Des étrons, tous autant qu'ils sont. Des étrons secs et durs. »

Dulcie sembla, un instant, perdue dans ses pensées. Elle secoua une nouvelle fois la tête avant de reprendre la parole.

« Donc, comme tu peux l'imaginer, la présence de Mr. Coward sur cette liste est à ce jour l'apothéose de sa carrière – sa consécration culturelle, pour ainsi dire. Il serait le premier à reconnaître que la guerre n'a pas été trop dure avec lui.

— Il n'a pas servi au front ?

— Servi au front ? Noël Coward, qui ne sait même pas servir une omelette ? Non. Il a passé la moitié de la guerre terré au Savoy, l'autre à remonter le moral des troupes – ou à se faire remonter le moral par nos hommes. Et qui suis-je pour juger. Exploite les forces que tu as. Allez, je nous la remets une dernière fois. »

Dulcie retourna à l'intérieur et repassa la chanson, en augmentant le volume. Les mêmes notes jouées au piano, puis la voix de Noël Coward qui détachait nettement chaque syllabe d'un air intitulé « Soyons pas si rosses avec les Boches ». Dulcie se pencha par la fenêtre.

« Alors ? Ce genre de musique est-il à ton goût ? »

Je me suis concentré quelques instants et j'ai entendu, au détour d'un couplet, que messieurs Beethoven et Bach faisaient plus de bruit que de mal.

« C'est malin, je suppose, ai-je dit sans trop me mouiller. Drôle.

— C'est de la merde, rétorqua Dulcie. En barres et en lingots. Mais ce qui est censuré mérite toujours une seconde écoute. Il vit la majeure partie de l'année à l'étranger, Noël. En Jamaïque, principalement. Il m'envoie de longues lettres dans lesquelles il pleurniche sur la chaleur et la qualité du gin, comme s'il s'attendait à autre chose. »

Elle se retira dans la fraîcheur de la maison et refit irruption dans le jardin une seconde plus tard.

« Tu connais cette autre ritournelle, "Hitler n'a qu'une seule noisette" ? »

J'ai souri en faisant non de la tête.

« Oh si, tu connais. Tu sais. Une seule roubignolle. »

Je me suis esclaffé. « Oui, on chantait ça à la récré. Parfois on s'y mettait à plusieurs pendant le rassemblement du matin mais le principal n'a jamais réussi à attraper les responsables et il y a peu de chances qu'il nous ait punis pour ça.

— Eh bien, je sais de source sûre qu'il y a une part de vérité là-dedans.

— Comment ça ?

— La cryptorchidie, voilà. Un testicule non descendu. Il semblerait que les bourses du petit Adolf aient décidé de s'opposer à la gravité et de rester bien au chaud un peu plus haut. »

Dulcie se tut et se gratta le menton.

« Du côté droit, me semble-t-il.

— Mais comment tu peux savoir cela ?

— Je le tiens d'une source très crédible, extrêmement fiable.

— Je ne te crois pas.

— C'est pourtant vrai. Par ailleurs, sa bistouquette était on ne peut plus normale malgré l'individu auquel elle a eu le malheur de se retrouver attachée. Et je n'en dirai pas plus sur le sujet. » Penchée vers l'avant, elle se tapota le nez. « Les murs ont des oreilles. Alors, tu as faim ? Tu devrais avoir un petit creux maintenant. »

Ce n'est qu'à cet instant que j'ai réalisé à quel point j'étais affamé. « Manger un petit quelque chose, oui, ce ne serait pas de refus.

— Mais c'est normal.

— Quelle heure est-il ?

— Toi et ton obsession de l'heure. Est-ce que ton ventre gargouille ?

— Oui, un peu.

— Alors ton horloge interne nous dit qu'il est l'heure de déjeuner. »

Une fois encore, nous avons mangé dans le jardin. Dulcie apporta un plateau sur lequel étaient présentés deux tranches de fromage, des petits pains farineux qui fumaient, tout juste sortis du four, une boulette de beurre, des œufs à la coque, encore des pommes, un demi-concombre, une jatte en grès contenant des oignons marinés et une autre des bulots – sans oublier le thé d'ortie dans sa théière et les tasses où attendaient des rondelles de citron. En mon for intérieur j'ai remercié la légère brise qui séchait mon front luisant de sueur.

Rompant un petit pain, je l'ai garni d'œuf, de pomme et de bulots.

« Quelle créativité, commenta Dulcie. Alors, comment t'en sors-tu avec la forêt vierge ? »

J'ai pris le temps d'avaler ce que j'avais dans la bouche avant de répondre.

« Ça paraît sans fin. J'ai l'impression de n'avoir ouvert qu'une brèche.

— Je t'avais prévenu.

— Ça va prendre un peu plus de temps que prévu.

— Ne te fatigue pas. L'hiver qui arrive réglera leur sort. Le gel va s'en occuper. La vie est courte, pourquoi se crever au travail ?

— J'aime travailler, en fait. J'ai l'intention de nettoyer le long de la clôture et ensuite de tailler grossièrement les broussailles au fond du terrain, comme ça tu auras à nouveau une vue dégagée sur la mer. »

Dulcie prit une pomme, en coupa une tranche et l'engouffra.

« Quel intérêt d'avoir vue sur la mer ?

— Eh bien, je n'en sais rien. Parce que...

— Parce que, pour citer Malloy qui a répondu, quand on lui a demandé ce qui le poussait à escalader l'Everest, parce que *c'est là*. Ne te donne pas cette peine. Je sais qu'elle est là, la mer. À marée haute elle avance de trente mètres, à marée basse, elle recule d'autant. Jour après jour. Pas besoin de le voir pour le croire.

— Tu n'as pas envie de profiter du paysage ? »

Dulcie fronça les sourcils. « Pas spécialement. Je ne porte pas la mer dans mon cœur depuis quelque temps.

— Pourtant, tu vis tout près.

— Disons que nous nous sommes brouillées, et n'en parlons plus. »

Là-dessus, Dulcie croqua dans une autre tranche de sa pomme.

« Tu t'es brouillée avec la mer ? Comment ?

— Comment ? Comme ça. », répondit-elle avec une sévérité qui me prit par surprise.

Le silence s'installa. J'ai fini par le briser :

« J'ai remarqué que le robinet de la cuisine fuyait. Le joint a dû lâcher.

— Oui, répondit Dulcie sur un ton absent, l'esprit ailleurs. Possible.

— Je pourrais le remplacer. »

Ma tentative de changer de sujet tomba à l'eau. Dulcie avait d'autres idées en tête.

« Écoute, Robert, je refuse d'être à la merci des caprices de la mer. Voilà tout. Ne compte pas sur moi. Elle est impétueuse et fantasque, et je n'ai guère de patience pour ses psychodrames quotidiens. Aussi, parfois – très souvent, en vérité – elle est parfaitement assommante. La même histoire barbante racontée mille fois. Aussi délectable qu'une décharge. Ça ne m'intéresse pas.

— Très bien. Je ne toucherai pas aux broussailles, si c'est ce que tu veux. »

Quelques secondes s'écoulèrent. Dulcie poussa un soupir.

« Tu m'offres simplement ton aide, j'en ai bien conscience. Pardonne-moi. Tu es ici, quasiment séquestré, alors que tu n'as qu'une envie, filer par en bas et sentir l'influence de la lune. C'est qu'en dehors des homards, des crabes et du thon qu'elle fournit en abondance, la mer ne s'est pas montrée très généreuse à mon endroit. Mais ne laisse pas non plus mon cynisme te gâcher ton expérience. »

Je n'ai pas insisté et nous sommes restés assis, en silence, à siroter notre thé qui refroidissait et digérer notre repas.

« Je me suis dit que j'irais faire une balade avant de finir. Tu crois que Majordome voudra m'accompagner ?

— Ce que je crois, c'est qu'il t'arrachera le bras tellement cela lui fera plaisir. Il s'est habitué à rôder dans les environs ou à surveiller le sentier à la façon d'une vigie et je crains que son territoire ne se soit considérablement réduit. Et si on lui posait la question, tiens ? Nous sommes en démocratie, après tout. » Dulcie se décala sur sa chaise. « Jojo. Où il est passé, ce fichu… oh, te voilà. Que dirais-tu d'une petite promenade ? »

Aussitôt le chien dressa les oreilles, attentif, et lâcha un gémissement d'impatience, la langue pendante.

« Je prends ça pour un oui, pas toi ? »

Elle lui lança un morceau de pain beurré, puis une tranche de pomme et un bulot dégoulinant de vinaigre, qu'il avala goulûment à mesure qu'il les attrapa au vol.

« Il faut que j'aille prendre sa laisse ? ai-je demandé.

— Oh, pas besoin de laisse avec ce bon vieux Jojo. Il est aussi fidèle et digne de confiance qu'un chaiwala, pas vrai, mon gros ? Il n'est pas fugueur. Il sait qu'ici il vit la *dolce vita*. »

Les traînées de nuages matinaux s'étaient dissipées alors que j'escaladais la clôture derrière la maison de Dulcie Piper pour m'introduire dans une succession de champs qui avançaient en pente douce vers l'horizon.

Majordome franchit l'obstacle d'un bond, à la manière d'un cheval de course, et s'élança la gueule giflée par une langue longue et large, rose et rugueuse.

J'ai quitté la cuvette au fond de laquelle se blottissaient la maisonnette et la prairie et, une nouvelle fois, le paysage se déploya sous mes yeux. Derrière moi, des nappes grouillant de vie ondulaient jusqu'aux logements de pêcheurs collés les uns aux autres au bord de la baie et, au-delà, il n'y avait rien que la mer sur des kilomètres, qui paraissait parfaitement calme sous la caresse du ciel de l'après-midi parcouru de soupirs.

Observée en plongée, la maisonnette se pelotonnait au creux d'une vallée très probablement façonnée durant des millénaires par l'écoulement et le ruissellement de l'eau dû à la fonte des immenses glaciers qui recouvraient autrefois le visage de la Grande-Bretagne, ainsi que la mer qui l'entourait. J'avais déjà pu constater que ces vallons étaient traversés de ravins boisés et de ruisseaux peu profonds où s'ébattaient les épinoches et, aux endroits où l'eau croisait une piste, ou une route, on avait installé un pont, d'abord emprunté par les chevaux et les carrioles, puis, plus tard, par les véhicules à moteur.

Nul n'avait tenté de dévier l'eau de son cours naturel, ni de l'envoyer sous terre, ce qui n'aurait pas manqué de se produire dans un bourg ou une ville, mais là, la vie s'était adaptée et cohabitait avec un réseau de canaux qui encadraient des centaines d'hectares de lande et, à l'étage supérieur, des marécages qui suivaient la pente et allaient à la rencontre de la mer, donnant un cocktail d'eau tourbée, comme du thé trop infusé, et de saumure visqueuse.

Depuis ce poste d'observation je voyais la maisonnette de Dulcie, réduite aux dimensions d'une ville miniature, avec les tuiles rouges du toit et la végétation parasite qui s'insinuait de tous côtés. La façon dont les mauvaises herbes avaient tissé leur toile autour, en étau, me faisait penser à ces splendides globes en verre bleu outremer ficelés de nœuds marins que j'avais vus dans certains villages de pêcheurs, qui servaient à stabiliser les filets portés par le courant et qui, à l'occasion, se détachaient des cordages pour dériver sur des centaines de miles, flottant dans les zones peu profondes, avant de venir s'échouer, intacts, sur un rivage lointain, sans la moindre éraflure, comme une offrande à ces plages étrangères, artefacts extraterrestres miroitant sous le même soleil. Ceux qui ne résistaient pas au roulis, comme les bouteilles de soda et de bière jetées au rebut, voyaient leurs éclats polis par les galets lors des tempêtes et décapés par l'eau salée jusqu'à devenir ces merveilles en verre opaque prisées des ratisseurs de plage et mises en bocaux par les enfants. J'avais longtemps cru que c'étaient des joyaux échappés d'une boîte à bijoux au fond de l'océan et j'avais été fasciné d'apprendre qu'il s'agissait en réalité de vestiges d'objets du quotidien qui n'intéressaient plus personne.

J'ai décidé de commencer ma propre collection à la première occasion mais là, en pleine campagne, me vint l'idée d'explorer le sentier des blaireaux qui m'avait conduit chez Dulcie.

Sa fermette se recroquevillait au fond de cette tombe verte percée par l'évolution géologique, accroupie à la manière d'un animal qui se préparait à hiberner, et sur cette face de la colline, partout où je dirigeais le regard, je le posais sur des maisons similaires, individuelles, en pierre, avec jardin, dépendances, étables et enclos, chacune bâtie stratégiquement pour jouir d'une vue imprenable sur la mer – à l'exception de celle de Dulcie, où la prairie indomptée fonctionnait comme un paravent et qui paraissait, à l'instar de son occupante, rester totalement indifférente à ce qui existait au-delà de son champ de vision.

J'ai traversé un champ, le chien sur les talons, et je me suis aventuré sur le terrain voisin. À notre arrivée des lapins détalèrent, une dizaine, peut-être plus, cibles mouvantes trahies par le blanc de leur queue. Jojo lâcha un aboiement avant d'essayer, sans conviction, de se lancer à leur poursuite. Mais l'expérience sembla lui apprendre que ses proies étaient parties avec une avance trop conséquente, ou qu'il aurait fallu attendre qu'elles s'égaillent au milieu d'un pâturage, à ce détail près que les lapins ne se risquent que rarement en dehors de la sécurité de leur gîte pénombreux. Il dut se contenter de leur jeter un regard dédaigneux, à croire que pourchasser des créatures aussi communes – appelées « jeannots » par chez moi – était indigne de lui.

Plus en hauteur, et plus enfoncé dans les terres, le champ suivant débouchait sur un affaissement du sentier encaissé qui m'avait amené jusqu'ici.

Alors, une odeur puissante m'envahit les narines et j'ai exploré le sol, cherchant un indice : sur le côté, là où la terre était meuble, une zone criblée de petits cratères et, au fond de chaque trou, une crotte, couleur anthracite, certaines en spirale, d'autres moins récentes, fièrement dressées, mais toutes luisantes, comme protégées par une couche de vernis. Ces latrines à ciel ouvert recevaient quantité de déjections lustrées au plus profond des entrailles de ce rôdeur de l'aube indigène, aussi inébranlable et aussi britannique que le chêne solitaire ou le hérisson trotte-menu.

Jojo poursuivit sa route à petits pas pressés, haletant, son front brûlant ceint d'une auréole de mouches, comme le mien.

Soudain, devant nous, une déflagration : une forme débraula d'une brèche dans la haie et un éclair flou de rouge bruni traversa le sentier à une vitesse phénoménale. En une fraction de seconde, j'ai vu une biche bondir sur le talus presque à la verticale, comme un prisonnier qui se ferait la belle en escaladant une échelle, et disparaître dans le taillis qui s'étirait le long du chemin. Puis, plus rien. L'animal ne laissa dans son sillage que quelques feuilles qui tournoyaient et un minuscule tortillon de poils accroché à un barbelé. Je l'ai détaché et j'ai observé à la lumière ce nœud de crins rêches et roux.

Dans ce sentier ombragé, je suis resté assis un moment devant les monticules impressionnants qui signalaient le terrier des blaireaux. Un impénétrable entrelacs d'orties camouflait idéalement d'autres issues.

M'abaissant au niveau de l'un des trous, j'ai plongé mon regard au fond de cet accès qui traçait des méandres sous une voûte de racines enchevêtrées, dans la fraîcheur, toboggan géant ouvrant sur un monde souterrain. Je me suis enfoncé franchement et j'ai appuyé la tête, puis les épaules, aux parois de la cavité. Les blaireaux étaient tout près, dociles et endormis. Je sentais qu'ils n'étaient pas loin et eux aussi, sans le moindre doute, détectaient la présence d'un intrus qui bloquait l'unique rai de lumière éclairant leurs caveaux vieux comme le monde. Je me suis rempli les poumons de l'odeur de la terre détrempée, de l'Angleterre invisible.

Plus haut encore, le sentier encaissé prenait brutalement fin à un carrefour, alors j'ai tourné les talons et fait face à la mer une nouvelle fois, l'euphorie me serrant le cœur à l'instant où j'ai aperçu ce littoral qui s'étirait à perte de vue, les falaises escarpées et l'eau incandescente, plus vaste que jamais.

J'ai suivi quelque temps cette piste défoncée jusqu'à perdre tous mes repères. M'écartant de ma boussole interne, j'ai escaladé un muret de pierres et coupé à travers une prairie qui longeait un ruisseau. L'eau me servit de guide et me conduisit en aval de la colline, où j'ai fait halte pour laisser Jojo se désaltérer, puis je me suis engagé dans les fourrés et j'ai retrouvé, la démarche trébuchante et plutôt surpris, le sentier qui conduisait au sanctuaire de Dulcie. J'ai compris rétrospectivement que j'avais tracé un cercle invisible sur le versant de la colline et j'ai éprouvé un immense soulagement à la vue de l'abreuvoir en pierre dans lequel j'ai plongé d'abord la tête, puis les pieds, l'un après l'autre, après m'être déchaussé, la morsure du froid envoyant une décharge le long de mes jambes et remontant dans ma moelle épinière. Je suis rentré pieds nus, les chaussettes enroulées dans mes brodequins et les brodequins à la main, l'eau dégoulinant de mes cheveux, aussi fraîche sur la langue que la nouvelle saison.

J'ai travaillé d'arrache-pied tout l'après-midi, m'acharnant sur ces mauvaises herbes obstinées. Je n'avais pas prévu d'y passer autant de temps mais je me suis calé sur un rythme, prise d'élan puis coup de lame, prise d'élan coup de lame, enveloppé par le bourdonnement des insectes et les vocalises des oiseaux, m'accordant de temps en temps une pause pour avaler de grandes rasades de l'eau glacée, agrémentée de sucre et de citron, que m'apportait Dulcie.

Au fil des heures, et au contact des ronces, mes mains, mes poignets, mes bras et mon torse se couvrirent d'entailles et d'égratignures évoquant d'énigmatiques messages en morse gravés sur ma peau rougie. Le pic de l'après-midi déclina, le soir tomba, alors je me suis interrompu pour étudier le passage dégagé dans les herbes, satisfait du travail accompli, même si cette percée ne concernait qu'une toute petite zone et que la prairie réclamait un nettoyage beaucoup plus conséquent. Comme promis, je n'ai pas touché aux broussailles qui dissimulaient la mer.

Je me suis enfoncé dans la prairie, je m'y suis allongé et je suis resté là quelques instants, écoutant les chuchotis et le bruissement de l'herbe, le soleil dessinant des supernovas à travers mes paupières closes.

V

Dans ce lit d'herbe dense et touffue, le ciel à l'aplomb, j'ai émergé d'un somme aussi bref que profond. Je suis resté quelques instants sans bouger, torse nu, désorienté.

Ces dernières semaines avaient chamboulé mes repères et il me fallut quelques secondes avant que la mémoire me revienne – ce n'était pas la première fois que cela m'arrivait. Il était rare que je fasse ma toilette deux fois au même endroit et, depuis longtemps, je m'étais affranchi du cadre contraignant de l'école.

Les raideurs sourdes causées par la fatigue et par le travail manuel se diffusèrent dans mon dos, mes épaules et ma nuque, lorsque je me suis redressé pour rebrousser chemin et regagner à pas lents la maison, où j'avais laissé mon paquetage. Chacune de mes articulations se rappelait à mon souvenir et ma peau me donnait l'impression d'avoir été tannée par la férocité du soleil.

Une idée m'obsédait : descendre à la mer et piquer une tête, et, en conclusion de cette journée, peut-être manger un fish and chips avant de me reposer dans un fourré en haut de la falaise, ou une crique rocheuse, pourquoi pas, avec un bon feu et du thé d'ortie qui me tiendraient compagnie. J'avais pris goût au thé à l'ortie.

Aucun signe de Dulcie dans le jardin, aucune réponse quand j'ai frappé à la porte, donc j'ai fait le tour de la maisonnette pour gagner le sentier à l'arrière et j'ai risqué un coup d'œil par la fenêtre. J'ai aperçu mes affaires et ma couverture de voyage près de l'entrée de la cuisine. Dans le couloir étroit, cohabitant avec un masque africain en bois et un massacre de cerf, d'autres photographies encadrées. Sur une étagère, une gerbe de plumes de paon dans un vase, un pot-pourri de coquillages mêlés de galets et, en dessous, l'énorme coussin tapissé de poils rêches sur lequel dormait Majordome.

Retournant au jardin, je me suis assis sur une chaise et j'ai attendu Dulcie. J'avais les paupières lourdes.

Soudain elle se matérialisa à mes côtés, coiffée de son chapeau à large bord, silhouette silencieuse qui se découpait à contre-jour, un verre dans chaque main.

« Tu es aussi buriné qu'un ouvrier agricole, déclara-t-elle. Ça te va bien. »

Je me suis frotté les yeux avant de m'étirer, aveuglé par le soleil agressif de cette fin d'après-midi.

« L'heure des cocktails, dit-elle

— Je n'ai pas encore fini, malheureusement. Il me reste des zones à nettoyer. »

Dulcie insista. « L'heure des cocktails. »

Elle me tendit un verre qui contenait un liquide d'un rouge pâle dans lequel flottaient des cubes de pomme, des glaçons et des fraises.

« Je sais ce que tu penses, lâcha Dulcie à la seconde où je lui ai pris le verre des mains.

— Ah bon ?

— Oui. J'ai congelé une partie de ma cueillette l'année dernière, figure-toi, en prévision de ce genre d'occasions. » Dulcie avait peut-être des dons de télépathie et, de toute évidence, elle s'aperçut que j'avais l'esprit désespérément vide, car elle poursuivit : « Les fraises. Même avec cette vague de chaleur, c'est trop tôt. »

J'ai avalé une gorgée et la boisson pétillante fit éclater des saveurs inédites sur mon palais, sucrées et piquantes.

« C'est épatant. Il y a quoi dedans ?

— Un peu de tout pioché dans le placard, et d'autres petites choses encore.

— J'ai l'intention de partir dès que j'aurais taillé ce qu'il reste et nettoyé après moi.

— Maintenant ?

— Eh bien, tout à l'heure, oui.

— Tu n'es pas épuisé ?

— Un peu. J'ai fait une sieste et les courbatures partiront en marchant, j'en suis sûr. Ou peut-être en allant nager ce soir.

— Il y a les marées à prendre en compte et... – de la tête, Dulcie montra un panier pendu à la saignée de son bras – ... j'ai préparé le dîner.

— Oh, ce n'est pas utile, je t'assure.

— Ce n'est jamais *utile*.

— Je viens seulement de te rembourser le petit déjeuner, et l'excellent repas du midi. »

Dulcie me dévisagea quelques instants.

« Quand même, tu ne peux pas partir le ventre vide. Et ne compte pas sur moi pour me relancer dans ces marchandages grotesques, aussi honnêtes que soient tes intentions.

— J'avais pensé manger un fish and chips.

— Dans ce cas, tu as vu juste, parce que c'est précisément ce qu'il y a au menu. Du poisson et des pommes de terre. »

J'ai bu à petits coups et croqué dans un glaçon.

« Tu es trop gentille avec moi.

— Ce n'est qu'une portion de poisson avec des patates en garniture, Robert, et on n'est jamais trop gentil. Sauf si cela te démange, bien entendu, d'échapper aux griffes de la vieille chouette. Auquel cas, prends tes jambes à ton cou, envole-toi vers l'horizon, cela ne me vexera pas le moins du monde, pas plus que Jojo qui trouvera sa gamelle bien remplie ce soir. Pourtant, j'ai la ferme impression qu'il s'est attaché à toi, pas vrai... » Dulcie regarda autour d'elle. « Où est-ce qu'il est encore fourré, celui-là ? »

Elle ôta son chapeau, aussi large qu'un sombrero, se tamponna le front avec un mouchoir et se recoiffa.

« Je vais le faire frire.

— Le chien ? »

Dulcie émit un grognement, puis un cri de joie strident. « Le poisson. Le poisson, bougre d'âne. Un saint-pierre qui fait la longueur de mon avant-bras, moche comme un carlin qui a tenu douze rounds contre Max Schmeling, mais délicieux. C'est Barton qui l'a apporté. »

J'ai avalé une nouvelle gorgée de mon cocktail.

« Écoute, poursuivit Dulcie, laisse-moi te mettre du poiscaille dans l'estomac, ensuite, tu pourras reprendre la route. Une armée ne peut avancer le ventre vide et même un déserteur dans ton genre a besoin de se ravitailler. L'horizon attendra. Mange, tu le salueras plus tard. »

« Rappelle-moi ton âge, Robert. »

J'avais détaché la peau et la chair de l'arête centrale, toujours intacte, et j'observais une mouche bleue qui se posa sur la nageoire dorsale, rejointe un instant plus tard par une congénère. Elles se régalèrent des restes.

« Seize ans. »

Dulcie écarquilla les yeux. « Je te savais jeune mais à ce point, c'est obscène. *Seize* ans. »

J'ai éclaté de rire. « Obscène ?

— Oui. Seize ans, pour moi, ce n'est même plus un souvenir. Seize ans, c'est un pays étranger. Une photographie dans une valise abandonnée à bord d'un train à destination de l'Orient il y a bien des lunes. Certains pourraient t'envier d'être à l'orée de ta vie mais, pour ma part, si on m'offrait la possibilité de tout reprendre à zéro, ce serait niet. Pas dans le contexte actuel, merci.

— Pourquoi pas ?

— Eh bien, navrée d'être la goutte de pessimisme dans l'océan immaculé de ton innocence juvénile, mais il y aura une autre guerre, cela ne fait pas un pli. Des conneries de mâles. Crois-moi, c'est à contrecœur que j'ai adopté cette position – qui va à l'encontre de mon tempérament – mais le point positif, c'est qu'un pessimiste est rarement déçu. C'est du pragmatisme, un point de vue auquel je me suis ralliée sur le tard, comme à d'autres choses.

— Je prends les jours comme ils viennent, ai-je répondu, et j'étais sincère : envisager la vie qui m'attendait chez moi – les six premiers jours de la semaine à la mine, puis la gueule de bois et les poireaux qu'on récolte le dimanche – ou l'avenir qui se profilait pour l'humanité au sens large, m'avait démoralisé en l'espace de quelques secondes.

« Une attitude fondamentale. Faisons comme s'il n'y avait pas de lendemain.

— Demain peut aussi être un autre jour, ai-je lancé.

— Bien vu, commenta Dulcie. Dans ce cas, débarrassons-nous de nos almanachs, brûlons les calendriers, brisons les horloges et décidons qu'aujourd'hui dure éternellement, en nous calant sur le cycle des nuits et le hululement du hibou. Ce que je te propose, c'est d'adresser un pied de nez au temps car ce n'est qu'un ensemble de limites arbitraires que nous nous imposons à nous-mêmes, dans une servitude, un emprisonnement volontaires. Qu'aujourd'hui coule à n'en plus finir, Robert. Tu comprends ce que nous venons de faire ? Nous avons subverti ce qui cimente l'humanité. Nous nous délivrons de ses chaînes. Formidable, tu ne trouves pas ? »

Le premier cocktail fut suivi d'un second et d'une bouteille de vin blanc à laquelle nous avons failli faire un sort, et je me sentais détendu, comme liquéfié, affalé sur ma chaise, glissant inexorablement vers la position allongée. La journée avait eu raison de moi et j'étais heureux de ne lui opposer qu'une faible résistance. Dulcie, pour sa part, était lancée dans un monologue inarrêtable, alimenté par le flux et le reflux de l'esprit.

« Sais-tu, enchaîna-t-elle, que je suis déjà allée par là où tu habites. À l'université, pour une conférence. J'ai vu ton cheval.

— Je n'ai pas de cheval.

— Bien sûr que si : celui qui se dresse sur la place du marché.

— Oh. La statue, tu veux dire.

— Tout à fait remarquable, non ?

— Tu trouves ? »

Je ne me rendais qu'exceptionnellement à la ville ; il fallait la rallier par l'autocar et, pour l'autocar, il fallait de l'argent, et moi j'avais toujours les poches vides. Je n'avais visité la cathédrale qu'une fois, à l'occasion d'une sortie scolaire. À mes yeux, c'était un repaire de professeurs d'université, d'étudiants qui se reconnaissaient à leur toge et à leur couvre-chef saugrenu, et de jeunes gens des deux sexes qui fréquentaient les bonnes écoles, se promenaient des livres sous le bras et ne parlaient pas le même anglais que moi, destinés à rejoindre les rangs des érudits pour parfaire leur éducation dans d'autres villes tout aussi élitistes. Un endroit où les *clergymen* enfilaient à pas pressés les rues pavées, où les barreurs hurlaient dans un porte-voix des consignes aux équipages d'aviron qui s'entraînaient sur le fleuve, où les touristes descendaient des chars à bancs en montrant le château du doigt, où les gens dégustaient des scones et vidaient de pleines théières dans des tasses en porcelaine tintinnabulantes, assis derrière de ravissantes fenêtres de style géorgien, et où des joueurs de rugby au visage écarlate fêtaient leur dernière victoire en faisant la tournée des pubs.

La seule raison que nous avions d'aller à la ville, c'était le gala des Mineurs, rebaptisé par nos soins le Grand Rassemblement, qui se tenait au mois de juillet, un samedi, et qui réunissaient les fanfares de toutes les cités minières pour une immense parade. Les participants brandissaient des banderoles et convergeaient par dizaines de milliers vers l'hippodrome où il y avait des discours, des stands et des manèges, et on mangeait, on buvait, on chantait, et des jeunes gitans se bagarraient torse nu contre les gars du cru. La nuit succédait à la soirée et c'était l'heure de rentrer. Le retour était interminable, le sucre et les frites nous pesaient sur l'estomac. Mais ce n'était qu'un jour sur trois cent soixante-quatre et je n'y étais plus allé depuis l'enfance, parce que le gala des Mineurs avait été annulé ces six dernières années pour cause de conflit mondial, et j'allais le rater cette année aussi. Il semblait que Dulcie connaissait ma ville natale mieux que moi.

« Ce cheval se distingue sous bien des aspects, notamment parce qu'il est vert, poursuivit-elle. J'ai roulé ma bosse mais c'est le seul cheval vert que j'aie croisé. J'en ai vu un qui aurait pu tenir dans une valise moyen format, un autre qui était grand comme deux hommes et des hippocampes par centaines, il m'est même arrivé de perdre un pari et de jouer à lady Godiva, mais c'est la première fois que je voyais un cheval vert, enrobé de cuivre par galvanoplastie et poli des siècles durant par les poignards rouillés de la pluie. Dans ce cas, ce n'est pas la couleur du cheval qui marque le plus les esprits. Cet honneur revient à la légende qui s'est accrochée à la statue, aussi solidement qu'un taon immortel que même les coups d'une queue en cuivre n'arrivent pas à chasser. Je vais te la raconter.

« Il était une fois, un homme appelé Raffaelle Monti. Un artiste italien, sculpteur, qui avait vu le jour et grandi à Milan et qui vivait en Angleterre dans les années 1850 depuis déjà un petit moment. Sans doute pour y suivre sa bien-aimée, même si rien ne le confirme. Cette histoire a tout d'un puzzle et certaines pièces, celles qui présentent des "faits objectifs", manquent à l'appel, ce qui me force à improviser. Bref, notre cher Monti reçut la commande d'une statue équestre qui fait aujourd'hui l'orgueil et la fierté de votre place centrale, afin de commémorer telle ou telle chose – une bataille aussi prestigieuse qu'inutile, j'imagine. Les bonnes gens de la ville n'avaient qu'une exigence : il fallait que la statue représente un cavalier riche et noble de la région. "Je vais vous fabriquer un cheval vert, dit Monti. Grand et gros, un sacré canasson." Et il tint parole. Il fabriqua un sacré canasson, grand et gros, un bijou de précision et de réalisme. Ses dimensions et sa teinte, en plus du reste, en faisaient le sujet de mille conversations. Il portait sur son dos le marquis de Machinchose, tout aussi élégant et rendu avec minutie. En 1861, la sculpture fut achevée et dévoilée aux habitants sur la place du marché. "Ce cheval est parfait, affirma Monti. Parfait à tous points de vue." "Il est vert", contra un petit garçon. "Sa perfection n'en saute pas moins aux yeux, répliqua l'immense artiste. Par ailleurs, si quelqu'un devait trouver une seule inexactitude anatomique dans cette monture et son noble cavalier, je mettrais fin à mes jours tant j'en aurais honte. Car ce n'est pas une simple œuvre d'art, non, c'est un rêve coulé dans le fer et monté sur un piédestal de pierre qui traversera les siècles."

Dulcie marqua une pause, avala une rasade de vin. Elle prenait son temps. Son histoire, elle la savourait.

« Bon. Ce défi résonnant encore à leurs oreilles, les braves gens de la ville escaladèrent l'échafaudage afin d'examiner le cheval de leurs propres yeux, sous le regard de Monti qui, les bras croisés, tétait une sucette parce qu'il essayait d'arrêter de fumer. Et il avait raison : cette grande créature verte, le fleuron de la ville, ne présentait aucun défaut. Le temps passa. Des semaines, des mois peut-être. Les gens aimaient toujours s'arrêter au pied du cheval pour l'étudier. C'était devenu une sorte de tradition pour beaucoup, comme s'ils l'ajoutaient à leur liste des courses : *aller en ville, acheter des panais et du pain, vérifier qu'il n'y a pas d'erreurs anatomiques sur le gros cheval vert*. Un jour, un aveugle arriva en ville et demanda à inspecter la sculpture avec son sens du toucher hautement développé. Il reçut très vite l'autorisation et on lui donna un coup de main pour grimper à l'échafaudage. Une petite foule se rassembla pour le regarder palper l'animal – son ventre lisse, l'épaisse crinière en cuivre, les splendides naseaux dilatés. L'impatience s'empara des badauds. Enfin, l'aveugle descendit et rendit son verdict. « Ce cheval n'a pas de langue », annonça-t-il avant de tourner les talons et de rentrer chez lui. « Pas de langue ! » répétèrent les bonnes gens de la ville qui rôdaient là, l'odeur quasi-imperceptible du premier sang faisant frémir leurs narines. « Le cheval n'a pas de langue – vite, qu'on aille quérir Raffaelle Monti. » Ils étaient surexcités. « Il nous doit un suicide », lança une voix. Le sculpteur fut prévenu de ce rebondissement. Il n'était pas content du tout – il venait d'accepter une autre commande dans sa ville natale, Milan. Mais un pacte est un pacte. Raffaelle Monti prit séance tenante la direction de la cathédrale. Sur place, il monta les trois cent vingt-cinq marches de la plus haute tour puis, sous les yeux de la foule massée en bas, il se jeta dans le vide. Il ne mourut pas sur le coup.

— Quelle horreur.

— Cela aurait pu être la fin de notre histoire, à ce détail près : le cheval avait bien une langue. Dans l'émoi général, personne n'avait eu l'idée de s'assurer que l'aveugle disait vrai, et surtout pas ce pauvre Raffaelle Monti qui, exténué, n'avait plus les yeux en face des trous. La certitude de son talent l'avait perdu. Le cheval avait bien une langue mais les gens refusèrent de le croire, tant ils souhaitaient que la statue soit imparfaite. La formidable créature était parfaite, au bout du compte, mais c'était trop tard. Un mythe prenait déjà forme, une histoire que l'on se transmettrait, un héritage qu'on conserverait dans le grenier de la mémoire. Et, tu ne l'ignores pas, la statue est toujours là aujourd'hui, noble et impavide malgré les turbulences du monde qui s'agite autour. Sans doute as-tu vu de tes propres yeux des gens assis sur le socle qui tuent le temps en méditant quelques minutes sur le passé, le présent, et peut-être aussi l'avenir. Mais, tôt ou tard, ils finissent par se mettre debout, ils s'époussettent l'arrière du pantalon et ils s'en vont, bâillant et cherchant dans le ciel la menace du tonnerre qui approche comme les sabots d'un cheval dont les dimensions dépassent ce que le rêve ou l'art peuvent imaginer.

— C'est vrai, tout ça ? »

D'abord, Dulcie fronça les sourcils puis elle me sourit, mais elle ne répondit pas à ma question.

Sous la table Jojo engouffra une poignée de frites cuites en deux temps – les meilleures que j'aie jamais mangées –, puis il réclama du rab en me mettant un petit coup de truffe. Je me suis détaché un instant du soliloque filandreux de Dulcie, l'un de ceux dont elle était coutumière, mais elle ne sembla rien remarquer et continua à parler, le cheminement de ses pensées sinuant comme une rivière au cours alangui à travers les plateaux du paysage vespéral. J'ai donné au chien une frite de laquelle dégoulinait un vinaigre qui avait la même couleur qu'une dizaine de gouttes de sang diluées dans un gobelet d'eau salée.

« Alors, que réserve la suite ? »

La question de Dulcie me tira d'une rêverie déclenchée par le vin et par mon estomac plein. J'ai levé la tête, un sourire pas très frais aux lèvres.

« Désolé, j'étais en train…

— Ce que je te demande, c'est si tu as déjà une petite idée sur ce que tu vas faire de ta vie ?

— *Faire de ma vie* ?

— Oui, faire de ta vie. Après ce périple homérique.

— Je ne sais pas trop.

— Ce n'est pas forcément un souci. Un jeune homme dont la vie est tracée d'avance n'a pas un sort enviable car planifier, c'est ne laisser aucune place au hasard ou aux coïncidences heureuses, et par ailleurs, tout individu – si c'est bien un homme – est en mouvement constant, comme l'univers qui l'entoure. Infortunés sont ceux qui portent sur leurs épaules le poids des contraintes familiales ou de la tradition.

— J'aimerais ne pas rester figé. Peut-être piloter des avions, comme Douglas Bader.

— Anecdote intéressante concernant celui que nous venons d'ériger en héros national, rétorqua Dulcie. Sais-tu que ses jambes ont été remplacées par des prothèses en fer-blanc car il a crashé son avion pendant qu'il faisait le mariole au-dessus d'une base d'entraînement ? Pas du tout à cause de la guerre et de sa capture en France en 1941 ; à ce stade, le Troisième Reich n'était rien de plus que le délire d'un mégalo. Son héroïsme tient au fait qu'il a été assez courageux, ou assez suicidaire, pour piloter avec des guiboles en fer-blanc. À titre personnel, je trouve que c'est chercher la merde. J'ai aussi entendu dire que c'est quelqu'un d'imbuvable. Mais je m'écarte du sujet. L'expérience m'a appris que ceux dont la carrière est déjà toute tracée sont des chieurs patentés. Ces gugus-là deviennent directeurs de banque, financiers, politiciens, ivres de pouvoir et d'arrogance. La lie de la terre. Ils ont une palette terne, une imagination rabougrie. Leur univers est proche du néant, Robert, je te l'assure. Le train qui quitte Waterloo chaque soir à 5 h 42 et qui les ramène chez eux dans leur cambrousse, la désolation silencieuse des liens conjugaux qui se désagrègent. Non, merci, l'ami. Très peu pour moi.

— En un sens, ça me rappelle beaucoup mon père et moi, et son père avant lui, et le père de son père, qui ont tous travaillé à la mine.

— Les attentes qu'ils ont placées en toi doivent peser aussi lourd qu'un sac de charbon, j'imagine. »

J'ai haussé les épaules. « Mon paternel ne va pas tarder à essayer de me faire embaucher.

— Je suppose que c'est un métier très dangereux.

— Parfois, oui. Mais tout n'est pas noir. La mine vous traite bien. La paie est bonne, il y a les bains publics, la bibliothèque, le foyer, et j'en passe. Le logement, aussi, pour ceux qui veulent fonder une famille. »

Dulcie se versa le fond de la carafe de décantation, qui donnait l'impression de ne jamais quitter la table, puis elle porta le verre à ses lèvres.

« Tu as envisagé de faire des études ?

— À l'université, c'est ça ?

— À l'université, tout à fait. »

J'ai gratouillé le chien derrière l'oreille, j'ai bu mon vin.

« Les gens comme moi ne vont pas dans ces endroits-là.

– « Les gens comme moi » ? Tu peux préciser ta pensée ?

— Les gens de la mine.

— Mais tu as un organe qui fonctionne entre les deux oreilles, non ?

— J'espère.

— Cela me paraît évident. Une tête bien faite, il n'en faut pas plus. »

J'ai souri. « Si, quand même.

— De quoi parles-tu ?

— Les bons habits, pour commencer, et l'accent qui va avec. »

Dulcie émit un bruit réprobateur. « Balivernes. Tu as largement le niveau, j'en suis certaine. Il faut simplement avoir soif de connaissances et, si cette soif est au niveau de ton appétit, j'imagine que rien ne peut te rassasier. »

J'ai senti le rouge me monter aux joues, embarrassé de passer pour un goinfre.

« Tu lis beaucoup ?

130

— Ça m'arrive. On n'a pas beaucoup de livres à la maison.

— Qu'est-ce que tu aimes lire ?

— J'ai eu une période bandes dessinées mais j'ai passé l'âge. J'aime les romans d'aventure.

— Tu as un titre en tête ? »

Je me suis creusé les méninges. « *Les trente-neuf marches*, c'était terrible.

— Oui, Buchan. Mon père le connaissait.

— Votre père connaissait l'auteur des *Trente-neuf marches* ?

— Il lui a prêté de l'argent.

— Il était écrivain aussi, votre père ?

— Juste ciel, non, même s'il n'avait pas son pareil pour signer des chèques à ses maîtresses. Non, il a connu Buchan au Canada. Et à l'école, comment tu te débrouillais ? »

J'ai haussé les épaules. « J'aurais préféré passer mon temps dehors.

— C'est ce que tu fais, donc tu es déjà sur la bonne voie. Il y avait de la poésie au programme ?

— Ils nous ont donné du Shakespeare.

— Les sonnets ?

— *Roméo et Juliette*, je crois. »

Dulcie a fait la grimace. « Ce n'est pas de la poésie, ça. C'est une tragédie surannée, écrite pour être jouée sur une scène, pas lue à voix haute dans une salle de classe qui pue le renfermé. Une présentation incorrecte et hors contexte risque de t'en dégoûter à vie, alors qu'un bon poème ouvre la coquille de l'esprit comme on écaille une huître pour révéler la

131

perle qu'elle renferme. Il met des mots sur ces émotions qui se dérobent toujours au langage. Ce bon vieux Barde, il sait y faire par moments.

— Les passages qu'on a dû lire étaient barbants. Ça ne rimait à rien pour moi. C'était du chinois. »

Brandissant son verre dans ma direction, Dulcie se renversa un peu de vin sur le poignet. « Dans ce cas, ils ne t'ont pas donné les bons poèmes. Ni les bons auteurs, à mon avis. Dramatique, tout bonnement dramatique. Ce qu'il te faut, ce sont des œuvres dans lesquelles tu puisses te reconnaître.

— J'ai du mal à croire que ça existe.

— Bien sûr que ça existe, mon cher garçon. Évidemment. Crois-moi, toutes les émotions que tu as connues jusqu'ici, un autre les a ressenties avant toi. Tu penses peut-être que je me trompe, mais c'est la vérité. Voilà quelle fonction remplit la poésie. Elle nous le rappelle sans cesse. C'est grâce à la poésie que l'homme abolit sa solitude ; elle offre une voix réconfortante qui retentit à travers les âges comme l'appel mélancolique d'une corne de brume sur l'eau, la nuit. Une passerelle qui relie les siècles, de la Grèce antique à demain après-midi. Ton souci, c'est que personne ne t'a initié aux poètes absolus – ceux qui visent à la tête et au cœur. Les maîtres. Mais tu es un veinard, car tu as frappé à la bonne porte. J'y verrais presque la main du destin, si j'étais du genre à donner foi en un concept aussi transcendant. Donc : tu es un jeune homme plutôt sentimental, c'est bien ça ?

— Je n'aime pas trop tout ce qui est gnangnan.

— Ce n'est pas de cela que je parle. Le sentimental, vois-tu, ne se résume pas à deux cœurs qui saignent et à des roses rouges. Le sentimental, c'est l'émotion, la liberté. C'est l'aventure, la nature et l'appel de l'ailleurs. Le fracas de la mer et la pluie sur la toile de ta tente et une buse qui plane sur la prairie, se réveiller le matin en se demandant ce que te réserve la journée et partir le découvrir. C'est ça, le sentimental.

— Eh bien, dit comme ça, oui, je suis peut-être un peu sentimental. Je n'avais jamais réfléchi à la question.

— Alors il te faut des esprits de la même tournure. Ne bouge pas. Je vais voir ce que je peux trouver. »

Dulcie quitta sa chaise et se dirigea vers la maison. Aussitôt, le chien se leva et voulut la suivre mais, à un ordre de sa maîtresse, il se recoucha. Étendu à côté de la chaise vide il me lança un regard, puis un autre, avant de lâcher un soupir et de poser la tête sur ses deux pattes disproportionnées qu'il étirait devant lui. J'ai entendu le pas de Dulcie dans l'escalier puis un choc sourd, des livres qu'on déplace et qu'on fait tomber. Elle réapparut avec des volumes plein les bras et s'en déchargea sur la table.

« Et Lawrence, ton avis dessus ? demanda-t-elle. Tu as entendu parler de *Chatterley*, j'imagine ? »

Je me suis redressé sur ma chaise. « Oui, ai-je répondu avant d'avouer à voix basse : Non, plutôt. »

Inutile d'essayer de passer pour quelqu'un que je n'étais pas.

« Tu ne peux pas y couper. Tiens, je vais te garder en otage le temps que tu le lises. J'ai l'idée qu'un jeune homme dans ton genre, tout feu tout flamme, peut se prendre de sympathie pour lui, même s'il faudrait remuer ciel et terre pour dénicher une version non expurgée comme celle que je possède. C'est une écriture qui chante la fertilité de la vie. Quand il se surpasse, elle palpite. L'animal au-dedans et le monde en dehors, c'est ce qui donne les plus belles pages de Lawrence. »

J'ai dû réagir par une grimace. Ayant compris qu'elle m'avait perdu, Dulcie précisa sa pensée.

« Le sexe. Le sexe, et la poésie qu'il contient. Le sport en chambre, les galipettes en extérieur ; c'était une obsession pour lui, comme pour la plupart des grands esprits. Par endroits, sa prose est presque *tumescente*. Bien entendu, ils le lui ont fait chèrement payer. »

J'ai senti mes joues rougir, puis chauffer et picoter, et, malgré ma gêne, j'ai voulu en savoir plus. « Payer... comment ?

— Tu ne sais pas ? Ils l'ont d'abord accusé d'outrage aux mœurs, puis d'espionnage pendant la Grande Guerre. C'est du plus haut comique. Ce que Bert a espionné, ce sont les filles de ferme dépoitraillées et les foufounes. Mais il a quand même dû s'exiler, à cause des éditeurs, des critiques et des père-la-morale. Trop de cul et trop de chattes à leur goût, il faut croire, ce qui prouve à mes yeux qu'ils sont totalement passés à côté de son propos. »

J'ai avalé ma gorgée de travers et, la main plaquée sur la bouche, j'ai recraché du vin au creux de ma paume. Caché par la table, je me suis discrètement essuyé sur mon pantalon tandis que Dulcie poursuivait, indifférente.

« L'histoire nous a maintes et maintes fois montré que nul n'est prophète en son pays et que bien souvent, les visionnaires se retrouvent bannis. Et c'était une crème, je t'assure. Vulgaire dans ses écrits uniquement, voilà l'ironie. Tiens... »

J'ai ouvert le livre que j'avais à la main. *Femmes amoureuses*. À l'encre bleue, sur la page de garde, une dédicace à Dulcie.

« Lui aussi, tu le connaissais ?

— Je l'ai rencontré à plusieurs reprises au Nouveau-Mexique, lors de nos voyages. Impossible de le rater : un rouquin au teint de farine moisie. Une barbe malgré la fournaise. Très Anglais. Le gringo le plus blanc sous ces latitudes, ça ne faisait pas un pli. Charmant, néanmoins, et d'une grande curiosité. Je l'appelais Bert, un raccourci de son second prénom – Herbert. Frieda était délicieuse elle aussi, l'amie d'une amie. La femme de Bert. Une autre Allemande. Maintenant que j'y pense, la réduire au statut d'épouse, ce serait céder à cette tendance typiquement masculine à déprécier de façon systématique le rôle de la compagne : elle était tellement plus. Sa mécène, sa muse, son amante, son salut. Sans elle, il se serait délité. Elle avait renoncé à beaucoup de choses pour lui permettre d'écrire – jusqu'à sacrifier ses propres enfants, d'après les rumeurs. Une femme formidable, Frieda. Nos routes se sont croisées plusieurs fois mais c'est une autre histoire, à raconter un autre jour. Le plus tragique là-dedans, c'est qu'aujourd'hui je doute que Bert se fasse arrêter s'il traversait Eastwood en courant nu comme un ver.

— Tu as gardé contact avec lui ?

— Pour garder contact, il faudrait que j'aille déterrer son squelette jauni au Nouveau-Mexique. La tuberculose l'a emporté il y a un paquet d'années. Même les nécrologies suintaient la malveillance. Ces sans-couilles de critiques littéraires n'ont pas supporté qu'il ait réussi à être en avance sur son temps de plusieurs décennies. Oui, Bert était un esprit brillantissime, même si je me console en me disant que le monde comblera son retard un jour. »

Dulcie secoua la tête avant de reprendre le fil.

« Voilà pourquoi les gens comme moi ont pour responsabilité de répandre la bonne parole auprès des gens comme toi, Robert, la génération d'après. Les plus hautes intelligences sont trop souvent vilipendées et la médiocrité se nourrit de la pédanterie généralisée mais de toi à moi, les gens de notre espèce, nous devons nous battre pour faire du monde un endroit plus vivable, plus coloré, plus captivant. Dieu sait que c'est plus que jamais nécessaire. On ne fait pas la guerre quand on ne manque de rien, c'est certain, et la quête de la liberté personnelle peut à l'heure actuelle être tenue pour une démarche radicale. Et c'est le message que je veux te transmettre, Robert. Tu dois vivre ta vie exactement comme tu l'entends, pas comme les autres l'entendent. Nous nous trouvons à l'orée de grands changements, crois-moi. Si l'innocence n'est plus, que reste-t-il ? La liberté, et la quête de la liberté : nous devons nous y employer à chaque minute qui passe. L'avenir est peut-être incertain mais tu n'as qu'à te donner la peine de le cueillir. Il y a du bon qui sortira, forcément, de cette violence absurde. Laisse la poésie, la musique, le vin et le romantisme te servir de boussole. Laisse la liberté avoir le dernier mot. Tiens – essaie voir si ça te convient. »

Dulcie me tendit un autre livre. J'ai jeté un coup d'œil au dos. Lawrence, une fois encore : *L'Amant de lady Chatterley*.

« Aussi rare que du crottin de cheval à bascule, cette édition. Dûment mise à l'index.

— Tu as rencontré beaucoup de célébrités, Dulcie ?

— Au fil des ans, oui, j'imagine que oui.

— Et toi, tu es célèbre ?

— Non, et encore heureux. » L'expression de Dulcie s'assombrit. « J'en ai assez vu pour savoir que la célébrité, la renommée, la notoriété – donne-lui le nom que tu veux –, eh bien, ce n'est rien d'autre qu'une malédiction qui s'accompagne de bien des souffrances. Surtout pour les âmes bohèmes ou créatives. La vie m'a prouvé que ceux qui possèdent un réel talent présentent invariablement une sensibilité exacerbée et l'arène publique, où seules comptent les apparences, n'est pas un lieu propice aux poètes, et je ne parle pas des critiques, dans leur immense majorité, infoutus de faire la différence entre leur trou de balle et leurs oreilles quand il s'agit de la chose écrite, qui voient les écrivains comme des proies – et vont jusqu'à attaquer leur vie privée. Non, la sphère publique est contre-indiquée aux tempéraments, dirons-nous, vulnérables. Aucun poète ne devrait être célèbre... il devrait simplement être lu. »

J'ai reposé mes yeux sur le livre. « C'est D.H. Lawrence qui te l'a donné ?

— Pour ne rien te cacher, c'est un soupirant qui m'a acheté cette édition quasi introuvable, non censurée, quand elle circulait sous le manteau en 1932. Sans doute m'envoyait-il un message, lui dans la peau du garde-chasse, moi dans celle de l'héroïne. Ce qui ne l'a mené nulle part. Malgré le raffut qu'il a provoqué, ce bouquin n'a pas pour thème la baise à couilles

138

rabattues, pas vraiment ; il parle de classes sociales et le soupirant en question en manquait cruellement, de classe, parce qu'autrement il se serait donné la peine d'apprendre à me connaître, et alors, il en aurait découvert de belles à mon sujet, de quoi enluminer son visage joufflu. Je te suggère de lire les poèmes de Bert dans la foulée. » Là-dessus, Dulcie me tendit un mince volume. « Oui, c'est une Angleterre aux relents âcres qu'il décrit. Un endroit fertile, grouillant de vie, comme le sont restées certaines régions, j'imagine, sous la couche de crasse et les estomacs qui crient famine. »

Elle passa en revue le reste de sa sélection.

« Voyons voir. Qu'avons-nous là. Alors, Whitman. *Feuilles d'herbe*, évidemment, pour la perspective américaine. Une influence considérable sur Lawrence, et sur beaucoup d'autres. Shelley, aussi. John Clare. Robinson Jeffers – un autre Ricain.

— Un Ricain ?

— Oui. Un Yankee. » Dulcie eut un sourire. « Un Américain, Robert.

— Oh.

— Un bonhomme intéressant, ce Jeffers ; vénéré outre-Atlantique, confidentiel ici. Auden encore, Keats. Il faudrait aussi que tu approfondisses certains des jeunes gaillards de la guerre, celle d'avant, mais c'est sans doute trop te demander à ce stade. Et je ne peux quand même pas te donner des œuvres signées uniquement par des hommes ? Tournons-nous vers Emily Dickinson, Christina Rossetti et – pour une dose de ce rude accent du nord – Emily Brontë. Son histoire avec Heathcliff mérite qu'on s'y intéresse, même si elle réclame un éditeur d'une autre trempe. »

Elle poussa une petite pile dans ma direction. « Sers-toi.

— Merci. J'en prendrai soin.

— Prends-les, prends. De temps en temps, il faut vider les étagères. De toute façon ce ne sont pas les livres qui ont vraiment de l'importance, Robert. Un livre, ce n'est que du papier, mais ça renferme des révolutions. Tu apprendras que la plupart des dictateurs ne lisent rien ou presque en dehors de leurs hagiographies sordides. C'est là qu'ils font fausse route : pas assez de poésie dans leur vie. »

L'air était lourd, le ciel commençait à se troubler. Les nuages se massèrent et tombèrent en cascade, s'entre-dévorant. À la douceur de l'après-midi avait succédé une chaleur moite et écœurante, une sensation d'écrasement faisant écho à une douleur sourde qui m'avait pris le côté de la nuque et menaçait de se transformer en migraine. Je me suis perché sur ma chaise pour mieux voir la mer, sur laquelle était tiré un rideau lourd de présages. Entre les nuages plombés qui filaient bas sur l'horizon, et l'eau, il y eut un mouvement miroitant, une forme mouvante comme un essaim qui était en réalité des colonnes de pluie nées de la mer qui s'agrégeaient avant de se disjoindre à l'approche des côtes, portées par les vents froids venus du nord. À croire que l'eau avait été aspirée par le ciel.

La pluie était encore loin, à plusieurs kilomètres, et pourtant, un calme et un silence irréels s'étaient abattus sur le jardin. Aucun oiseau ne chantait. Aucun chien n'aboyait. Le muscle de ma nuque palpitait, comme parcouru par un courant électrique.

Jojo leva à son tour les yeux.

« On appelle ça le large », m'informa Dulcie à voix basse.

Tandis que je descendais de la chaise, elle embrassa la prairie d'un geste du bras.

« Cette zone au loin où le ciel et l'eau fusionnent. On appelle ça le large.

— Je ne savais pas.

— Je vais t'apprendre autre chose : j'éviterais de partir en balade avec l'orage qui arrive. Mais je ne suis pas toi, pas vrai ? À ta place j'aurais forcément l'impression qu'on m'a mâchonné l'oreille et lesté de bouquins qui seront plus un boulet qu'autre chose pendant ton périple, maintenant que j'y pense. Quelle idée j'ai eue ? »

Le ciel gronda. Le chien dressa les oreilles : deux miroirs acoustiques, couverts de poils et orientés vers la mer, captant les altérations de l'atmosphère.

Les premières gouttes, lourdes, tombèrent à cet instant.

Alors Dulcie déclara : « Débouchons une autre bouteille et profitons du spectacle. »

VI

Une pluie en fil à plomb nous arrosa cette nuit-là. Les gouttes s'étiraient, droites et drues comme des tringles d'escalier, et tombaient si serrées que j'ai dû déménager à la hâte et m'installer dans le cabanon. J'ai forcé la porte d'un grand coup d'épaule et, une fois à l'abri, je ne me suis pas formalisé de la présence de rats ou de rongeurs qui semblaient pulluler dans le vide sanitaire sous les lames grinçantes du parquet.

Le vent se leva, faiblit, redoubla de violence, et un sifflement monotone et malveillant se fit entendre dans un coin.

Le déluge tambourinait contre le vieux toit en tôle, ondulé et couvert de mousse, avec l'insistance d'une fanfare, son tonitruant chaos cédant la place, le plus gros passé, à un goutte-à-goutte près du coin, au fond, au niveau du tuyau de drainage cassé en son milieu, et au crépitement de l'eau qui coulait dans la flaque couleur de tourbe qui se formait en dessous.

J'ai pris l'un des livres de Dulcie et j'ai essayé de lire à la lueur de plusieurs bougies mais un courant d'air qui se faufilait par une fente mettait les flammes presque à l'horizontale et, la gorge desséchée par ces excès de soleil et de vin, j'ai rempli une timbale en étain au tuyau et bu l'eau de pluie à petites gorgées.

J'ai été réveillé au plus noir de la nuit par un grognement, celui d'un animal de taille conséquente qui se frottait contre la cabane, mais je n'ai pas bougé, j'ai fait le mort dans mon sac de couchage comme une momie emmaillotée et j'ai écouté les herbes bruire, attendant que le piétinement s'atténue.

Au petit matin, l'orage s'était calmé et l'air était moins lourd. De la mer couleur de cendre montait un rugissement assourdi, comme un stade rempli de supporters protestant contre une faute flagrante dans les arrêts de jeu, l'écho d'une foule agitée qui grimpait le versant de la colline. Par le carreau sale je distinguais tout juste ce qu'il y avait de l'autre côté, derrière la baie, ce promontoire déchiqueté trois ou quatre miles plus au sud. Là se trouvait l'épave d'un projet abandonné depuis longtemps par un philanthrope qui avait eu l'idée de fonder un établissement de bains en haut de la falaise. Il n'en subsistait qu'un réseau de canalisations jamais mis en usage, le marquage de rues resté à l'état de plan et un immense hôtel solitaire perché au sommet d'une falaise à l'aplomb de la mer, un à-pic d'accès difficile, même aux résidents. Ce bâtiment était une tache sombre à l'horizon, folie née de l'imagination humaine et condamnée comme tant d'autres à l'échec, témoin de la fin d'un empire.

Le soleil se leva paresseusement, blême et faiblard, puis il se fortifia et braqua tous ses rayons sur la prairie ; et tandis qu'un matin doré commençait à enflammer les strates du paysage un cerf apparut à la lisière, dans les broussailles, et huma l'air qui se réchauffait.

Il progressa de quelques pas sur des pattes d'une impossible finesse et s'immobilisa de longs moments quand moi, pourtant à bonne distance, et à l'abri, je n'osais bouger. L'animal dut entendre un bruit qui m'échappa car il prit ses jambes à son cou et s'enfuit parmi les arbres alors que je restais pétrifié, mon visage à la propreté douteuse reflété par le verre moucheté.

Une nuée d'insectes ailés s'agglutina tandis qu'abeilles, guêpes, phalènes, papillons et libellules prenaient leur envol. J'ai emporté ma couverture dehors et je l'ai secouée, chassant la poussière qui s'était accumulée dans la cabane pendant des dizaines d'années.

Petit déjeuner léger : un œuf dur et une pomme chacun, du thé d'ortie.

« Un remède souverain contre la gueule de bois, si tu ne veux pas reprendre une nouvelle dose de ce qui t'a mis dans cet état, expliqua Dulcie. Comme elle n'est pas carabinée, les œufs devraient suffire. Les protéines. »

Le thé, servi libéralement, me donna l'impression de revenir à la vie.

« Tu as bien dormi ?

— Très bien.

— J'imagine que tu vas reprendre la route, alors.

— Oui. Il me reste à nettoyer ce que j'ai taillé hier. Je me suis assez imposé. »

Nous avons fini notre petit déjeuner sans échanger un mot puis Dulcie prit la parole.

« N'y vois aucun sous-entendu. Si je m'étais lassée de ta compagnie tu le saurais. La vie est trop courte pour les insinuations. Parler franchement, agir sans traîner, c'est comme ça que je fonctionne. Ceux qui se vexent pour un rien, il vaut mieux les éviter. Qu'en penses-tu ? »

Là non plus je n'avais pas d'avis sur la question, alors je me suis contenté de hocher la tête, pensant à ces gens que je connaissais au village, qui préféraient rester bouche cousue, trop mal à l'aise pour faire preuve de sincérité. La vérité se nichait quelque part dans ces silences apathiques.

J'ai travaillé d'arrache-pied une bonne demi-heure durant laquelle j'ai ratissé la taille de la veille et ouvert un passage entre les herbes folles, avant de remarquer sur mes poignets et mes avant-bras une sorte d'éruption, des boursouflures blanches sur une peau rouge et irritée. J'ai regagné la maison en me grattant comme un fou. Cela n'échappa pas à Dulcie.

« Montre-moi. »

J'ai tendu les bras. Elle secoua la tête.

« De la berce, je parie. Pas joli-joli, mais estime-toi chanceux. Ça peut rendre aveugle.

— Tu es sérieuse ?

— Très sérieuse. *Heracleum mantegazzianum* : berce du Caucase. Ça brûle comme pas permis, à ce qu'il paraît. Une cochonnerie pugnace et envahissante. Viens, rince-moi tout ça avant de te retrouver avec des cloques ou des cicatrices. Savon et eau froide, et fissa. »

Elle m'accompagna jusqu'au jet d'eau et l'ouvrit à l'instant précis où ma peau commençait à chauffer. Elle me donna ensuite une savonnette avec laquelle je me suis frotté vigoureusement. À la fin, j'avais les bras écarlates et les mains légèrement enflées, comme si elles avaient été frappées à grands coups de marteau.

Dulcie les examina, visiblement mécontente.

« Je vais appliquer un cataplasme, pour ne prendre aucun risque.

— Ça va aller, je t'assure. Une petite allergie, c'est tout. »

En un tournemain j'ai rangé mes couvertures et ma toile de tente, bouclant mon paquetage. J'étais tiraillé : fallait-il me reposer encore un peu et attendre que reflue le feu qui se diffusait dans mes bras, ou prendre la route avant que les heures indolentes de l'après-midi me rattrapent et retardent mon départ.

Une dernière gratouille au chien. Ses grandes oreilles communiquèrent leur chaleur à ma main, comme deux serviettes posées sur un radiateur.

« Merci de m'avoir donné à manger, ai-je dit à Dulcie. C'est très chouette, l'endroit où tu vis. »

Distraite, elle regardait un papillon se poser sur une feuille.

« C'est une tout autre ambiance l'hiver venu.

— Je te crois.

— Passe donc nous voir si tu reviens dans la région. Jojo serait ravi, j'en suis certaine. »

Le chien m'observa.

« Oh, j'ai failli oublier, » lâcha Dulcie en retournant à l'intérieur.

Elle revint chargée d'un petit paquet en papier brun.

« Qu'est-ce que c'est ?

— Du saucisson sec. Un chapelet de saucisses, pour être exacte. Ça vient d'Allemagne. Là-bas, on appelle ça du Landjärger ; on le conserve plusieurs mois. Voire plusieurs années. Mets tes préjugés en sourdine et déguste-moi ça. Je me suis dit que ça aurait le potentiel de te faire changer d'avis sur nos cousins teutons.

— Comment tu t'en es procuré ? »

Pour toute réponse, Dulcie se contenta d'un « Au revoir, Robert » puis elle tourna les talons, me plantant là, dans un silence lourd de non-dits et peut-être, sous la surface, teinté d'une pointe de regret à peine perceptible.

Le chien chemina à mes côtés jusqu'au bout du sentier, puis lui aussi me faussa compagnie.

Dominant la baie, des bâtisses cossues accaparaient le paysage tandis que le soleil criblait d'éclats de shrapnel cuivrés le drap en soie de la mer.

La plupart des jardins avaient été reconvertis en potagers, avec pour un grand nombre des poulaillers, et même un parc à cochons dont les occupants saluèrent mon passage par des grognements surexcités, agglutinés contre la clôture. Un peu plus loin mes pas me menèrent devant un bureau de poste, un magasin général et une rangée de maisons d'hôtes avec l'écriteau « Chambres libres » fixé au carreau de la fenêtre. J'ai entrevu des petits salons proprets où tout était briqué, astiqué et parfaitement rangé ; des vaisseliers contenant des services à thé qui ne voyaient que rarement le jour, des fauteuils éternellement recouverts de housses, des voilages de tulle entrebâillés comme des nuages effilochés qu'on lessivait deux fois le mois et des chats qui se la coulaient douce, gavés de croûtes de pain frites, d'entames de saucisse et de couenne de poitrine fumée formant des ficelles grises sur l'assiette du petit déjeuner, s'étiraient et bâillaient sur l'appui de leur fenêtre où le soleil était piégé l'après-midi. Les poignets et les avant-bras me démangeaient furieusement et, tout en marchant, je les grattais sans que cela serve à grand-chose. Au bout de l'enfilade de maisons bâties de façon telle que la baie vitrée de la salle à manger semblait perchée sur l'arête de la falaise, comme la proue d'un galion fendant l'immensité inexplorée des eaux qui attendaient d'être cartographiées, se dressait un vieil hôtel en brique rouge. Le menu affiché à l'extérieur, protégé par une plaque de verre et occulté en partie par une zébrure huileuse de fiente de mouette, proposait des plats qui faisaient monter l'eau à la bouche, et étaient hors de prix.

Forcément, j'ai repensé aux délices que Dulcie m'avait préparés et aux prix qu'ils atteindraient dans ce genre d'établissement, à la condition que le cuisinier puisse se procurer les ingrédients qu'elle semblait obtenir en un claquement de doigts. Mon estomac se rappela à mon bon souvenir tandis que je revoyais cette cuisine où s'entassaient tant de merveilles, avant de reprendre ma route.

Le défi qui se présentait à moi, celui de me sustenter de rien, ou de presque rien, exigeait à la fois un immense effort et de l'imagination, et c'était un énorme point d'interrogation qui obscurcissait le soleil chaque matin au réveil. Et maintenant qu'un appétit insatiable avait été avivé, attisé, brièvement encouragé et presque certainement comblé, ce défi avait perdu de son sel.

À cela s'ajoutait la certitude inébranlable que Dulcie avait posé sur moi un regard affranchi des idées préconçues, de l'histoire ou des attentes qu'on plaçait en moi. Autrement dit, elle m'avait pris tel qu'elle m'avait trouvé et elle avait jugé bon de me traiter comme une personne digne de considération – pas tout à fait comme son égal, car de toute évidence, c'était un esprit non-conformiste, sage et aguerri, tandis que je n'étais rien de tout cela. Pourtant, lors des journées qui venaient de s'écouler, j'avais senti une métamorphose s'opérer en moi. Je devenais de plus en plus moi-même et de moins en moins ce personnage qu'on me demandait d'interpréter. Dulcie avait retiré mon masque sans manifester ni lassitude, ni désintérêt.

Malgré cela, mon entêtement et une curiosité toute neuve m'avaient arraché à Dulcie et à son garde-manger plein à craquer pour me projeter dans un avenir inconnu. Tandis que mes genoux luttaient contre la pente, je me suis engagé dans un dédale de ruelles bordées par des maisonnettes de pêcheurs, beaucoup plus modestes que les demeures victoriennes sur les hauteurs. En rangs d'oignons, sans aucune ligne droite, que ce soit à la verticale ou à l'horizontale, ces bâtisses trapues étaient cloisonnées par des venelles tortueuses qui débouchaient sur d'autres logements, si rapprochés qu'il suffisait à leurs occupants de tendre le bras pour se retrouver dans le salon mal éclairé du voisin. Cette zone pavée où l'on perdait ses repères était toute en ombres, en angles et en renfoncements percés de soudains rais de lumière quand le matin s'infiltrait dans les interstices ; des soupiraux et des marches raides et glissantes menaient à des caves lugubres et des galeries secrètes utilisés jadis par les contrebandiers. On racontait que des barriques d'alcool dérobées dans les cales des navires pouvaient atteindre les hauteurs du village et être revendues clandestinement sans jamais voir l'air libre. Je me trouvais, pour reprendre leur expression, par en bas.

Il y avait, devant ces maisonnettes de vieux paniers de pêche plus ou moins abîmés, tressés à la main ; des enroulements de cordages qui s'effilochaient ; des jardinières dans lesquelles étaient cultivées des herbes aromatiques, persil, ciboulette et thym ; du bois flotté, sculpté par la mer, formes allongées et blocs abstraits, patiné par les éléments ; et, partout où je posais mon regard, des bouées artisanales, verroterie multicolore brillant sous le soleil, et des roches parcourues de veines tracées par un millefeuille préhistorique ou par des fossiles de créatures étranges, vestiges d'une ère où tout refroidissait, à l'état minéral ou à l'état larvaire, et où s'opérait la décantation des sédiments. Des pierres dont j'avais étudié les images, fasciné, à la bibliothèque scolaire pendant la pause de midi durant ces journées cruellement humides.

Fixé aux façades, il y avait un fil à sécher le linge auquel étaient pendus des vêtements – tricots d'enfant, cuissardes en caoutchouc, guerneseys détrempés – ou des paillassons colorés prêts à recevoir des coups de battoir et, au niveau de la rue, des bottes mises à sécher sur des râteliers en fer forgé. Désireux d'en voir plus, je me suis engagé dans une ruelle, appâté par le fumet qui montait des harengs fendus en deux et pendus aux grilles du fumoir plus haut, tout au bout du village, avant de prendre un virage et de retrouver la route qui dévalait vers le fouillis du fond de la baie qui finissait en entonnoir.

J'ai croisé plusieurs habitants, robustes mais pas hostiles, parmi lesquels des ménagères portant leur cabas à la pliure du bras, d'autres tuant le temps en bavardages, qui s'interrompirent pour saluer cet étranger, spectacle rare en semaine avant que l'été ne batte son plein.

La route sinuait, en pente raide, fureteuse. L'étal d'un poissonnier montrait la pêche du jour tandis que celui du marchand de primeurs manquait singulièrement de verdure. À la boulangerie j'ai acheté deux gros pains farinés, tout juste sortis du four. J'ai compté trois pubs douillets avant que la route ne soit abruptement remplacée par une cale en pierre que les bateaux de pêche quittaient chaque matin avant d'être halés à sec à leur retour.

Sur l'estran, la haute mer avait déposé de vastes bancs d'algues enchevêtrées, gluantes et cloquées, et en se retirant elle avait révélé les pieus en bois plantés dans le sable pour baliser un couloir emprunté par des générations de bateaux. Des patelles et des bernacles s'accrochaient aux rochers mouillés comme autant de décorations, aux côtés d'anémones rouges et charnues, de vraies beautés sous l'eau, pleinement épanouies, qui se transformaient en masses gélatineuses, dégonflées et mélancoliques, lorsqu'elles s'échouaient à marée basse.

J'ai franchi des étendues de vase criblées de petits tas spiralés formés par les vers arénicoles tandis que la mer dénudait par ailleurs des tranchées creusées dans la roche. J'ai enjambé des tourbillons de varech, de laitue de mer et de kelp rouge qui s'étalaient sur le sable creusé de sillons et attendaient patiemment que la marée suivante les ramène à la vie, de la même façon qu'une marionnette guette le retour du marionnettiste.

Le long du littoral, les falaises étaient en perpétuelle métamorphose, les cheminées, escarpements et saillies s'effondrant à intervalles réguliers, l'unité de mesure du temps n'étant plus ici l'année, la décennie ou le siècle, mais la résurgence des espèces captives de la glaise : ammonites, hématites et feuilles de fougère préservées dans l'herbier du passé où chaque époque marque une page de l'histoire en cours de la Grande-Bretagne, le paysage lui-même une sculpture, un ouvrage inachevé.

J'ai contemplé la mer qui se ridait lorsqu'elle franchissait les bernes, formait des rouleaux et se désintégrait dans des sifflements d'écume blanche, brassant les galets dans un fracas percussif dont le cliquetis m'hypnotisait.

La mer, ce sablier qu'on retourne au gré du cycle lunaire. Tandis que je poursuivais mon ascension une mouette, au-dessus de ma tête, m'adressa un salut.

J'ai mangé un petit pain puis ôté mes vêtements et j'ai couru jusqu'à l'eau en caleçon, m'y jetant tête baissée pour rafraîchir ma peau parcourue de picotements et savourer un bain digne de ce nom, le premier depuis plusieurs semaines.

Le fond de la mer était un bourbier hérissé de caillasse et d'éclats de coquillages qui tourbillonnaient autour de mes chevilles. Dans l'eau, l'impression d'avoir un squelette en métal forgé, indestructible, me gagna, et à l'instant où une saumure brunâtre fut remplacée par une mousse crépitante, une vague plus massive, la septième de rang, me surprit. J'ai eu beau lui présenter mon dos et n'avoir de l'eau que jusqu'au torse, elle me percuta en pleine nuque, me gifla le visage, s'engouffra dans une oreille, dont je perdis l'usage quelques instants, et m'envoya trébucher dans la bourrasque glaciale.

Cela eut pour effet de mettre un terme aux atermoiements du sang chaud qui se hasarde dans les eaux froides. Mon cœur se trouvait sous la ligne d'eau et ma nuque, carrefour où convergeaient tous les messages sensoriels de mon corps, était mouillée elle aussi. Alors j'ai laissé la mer du Nord me porter vers le large, battant des pieds et créant sous moi un vide sans lumière. À mesure que je m'éloignais du rivage chaque vague montait parallèlement en moi, me tirant vers le haut. La lune exerçait son emprise tandis que la terre ferme disparaissait derrière le moutonnement de la mer et, avec elle, tout ce qu'elle portait.

Très vite, la chaleur revint dans mes membres et je me suis senti vivant, vivant jusqu'au délire. L'eau salée apaisa les brûlures de la berce tandis que je faisais la planche, sans penser à rien.

Sur la cale, un pêcheur dénouait une corde bleue aussi épaisse que mon poignet. À côté de lui j'ai vu un empilement de paniers. Quatre d'entre eux contenaient les plus belles prises de la sortie matinale.

« Faudrait me payer cher pour que j'aille piquer une tête là-dedans », lâcha-t-il sur mon passage tout en retroussant les manches de son pull.

J'ai souri. « Une fois dedans, ça peut aller. Ça ravigote. »

L'homme renifla. « Un marin, ça nage pas.

— Ah bon ?

— La plupart savent pas nager. Enfin, la météo est idéale pour faire trempette, faut croire. »

D'un panier, il sortit deux maquereaux. « Tiens, prends ça. Pour notre vieille copine. »

Il dit cela le plus naturellement du monde.

« Pardon, pour… ?

— Pour Dulcie. »

Je suis resté interloqué pendant une fraction de seconde.

« C'est bien toi, le gamin qui traîne par là-haut.

— Oui. Mais...

— Eh bien, prends le poisson avec toi, ça m'épargnera un aller-retour. Je lui ai promis de ramener un petit quelque chose mais j'ai une course à faire et ces paniers à réparer. Le maquereau, ça se mange bien frais, sinon faut le mettre directement à fumer.

— Vous devez être M. Barton. »

L'homme confirma d'un signe de tête. « En personne.

— Il était sensas', votre homard.

— Laisse-leur un mois, ça va être la pleine saison, les bestiaux auront encore grossi, et là tu m'en diras des nouvelles.

— C'est ce que m'a expliqué Dulcie mais, d'ici-là, ça fera longtemps que je serai parti. »

Barton me coula un regard en coin et me tendit les deux maquereaux avec de l'agressivité dans le geste. Il se moquait de moi, en un sens. Il me lançait un défi. Il agita sous mon nez leurs flancs maigres et brillants. Pas d'odeur particulière.

« Prends-les, gamin.

— Le souci, c'est que je dois repartir.

— Repartir ? répéta Barton, comme si je venais de l'insulter. Pour aller où ? »

J'ai montré la côte. « Vers le sud.

— Et qu'est-ce qu'y a de si intéressant par là-bas ?

— Je ne sais pas. Le but, c'est de le découvrir. »

Les poissons étaient toujours collés à mon visage. Plongeant le regard dans les miroirs fracassés de leurs pupilles, j'y ai vu le vert profond et les rayures magnésium des écailles, leur ventre d'une couleur rappelant le plomb fondu. L'estampille rose, impudique, à l'intérieur des branchies. Leur éclat métallique.

« Tu seras revenu en moins de deux, insista le pêcheur. Qu'est-ce que ça pèse, une ou deux heures, par rapport au temps qu'il te reste ? Je réglerai mes comptes avec la vieille plus tard. »

J'ai commencé à me dandiner. Les heures filaient et la baie, aussi pittoresque fût-elle, semblait conspirer contre moi et vouloir me garder prisonnier à tout prix.

« Ça va pas te tuer, conclut Barton.

— D'accord. »

Je lui ai pris le poisson des mains et là, il parut se radoucir.

« C'est un vrai cordon-bleu, la mère Dulcie. Y'en a par en bas qui la traitent de toquée mais elle se moque des qu'en-dira-t-on. Elle vit sa vie comme elle l'entend.

— Elle ne s'est jamais mariée ? » ai-je demandé.

Barton s'accroupit pour boucler les sangles du panier. Je tenais toujours mes maquereaux à bout de bras.

« Tu vas devoir lui poser la question toi-même, et elle te répondra seulement ce qu'elle a envie de répondre. » Il se remit debout. « Dépêche-toi de monter ce poiscaille et de le foutre dans le garde-manger. Il va faire chaud cet après-midi. »

Là-dessus, il souleva un panier et le hissa sur son épaule.

« Comment vous avez su qui j'étais, Mr Barton ? »

Il se détourna et contempla la mer, les yeux mi-clos.

« Comme ça. »

Dulcie ne manifesta aucune surprise à mon retour. Pourtant elle s'adressa à moi, je l'ai remarqué, d'une voix cassante. « Tu as les cheveux mouillés. Pourquoi ?

— Je me suis baigné.

— Dans la mer ?

— Oui. C'était glacé.

— Tu m'étonnes que c'était glacé. C'est la mer. Tu as pris des risques terribles.

— Pas tellement.

— On prend toujours des risques terribles avec la mer. Crois-moi, elle peut se montrer cruelle. Et tu me rapportes des poissons, à ce que je vois ?

— C'est M. Barton qui m'a demandé de vous les livrer.

— Tu as fait tout le chemin depuis la baie ?

— Oui.

— Barton l'a déjà enterré, son dernier esclave ? »

J'ai haussé les épaules.

« Et ton périple vers le sud, il en est où ?

— Eh bien, M. Barton a beaucoup insisté.

— Ça en fait trop pour moi, même avec l'aide de Jojo. Bon, il va falloir que tu restes dîner.

— Certainement pas, ai-je lâché, même si j'étais affamé, une fois encore, après mon bain et cette grimpette jusqu'au sommet de la colline.

— Bon, très bien. Mais les maquereaux sont un cadeau pour toi comme pour moi. D'ordinaire Barton ne m'apporte que la moitié de ce qu'il a donné aujourd'hui. »

Du regard j'ai embrassé la baie, la mer et le village de Ravenscar en face.

« Je vais les farcir de fenouil frais et d'épinards, ajouta Dulcie.

— Je ne veux pas m'imposer.

— Tu ne t'imposes pas du tout.

— Qu'est-ce que c'est, du fenouil ?

— Adjugé. Tu restes dîner. Jojo sera ravi. » J'étais de retour.

Nous avons mangé au crépuscule et, cette fois-ci, j'ai refusé le vin.

« Tu as trouvé un endroit où planter ta tente ce soir ? s'enquit Dulcie.

— Pas encore.

— Installe-toi dans la cabane si tu en as envie. Il ne faut pas être regardant sur l'hygiène, mais c'est toujours mieux que de passer la nuit dehors. »

Jojo était assis à côté de sa maîtresse qui gardait une main posée sur sa tête. J'ai cueilli sur mon assiette une dernière brisure de poisson.

« Je peux ?

— Bien sûr. »

J'ai présenté mon offrande au chien qui se jeta dessus et me lécha avidement les doigts.

« À quoi elle servait au départ ? La cabane, je veux dire.

— Elle servait d'atelier.

— Un atelier d'artiste ?

— Oui. Avant. Ça n'a pas changé, j'imagine.

— C'est l'endroit rêvé pour un atelier. Tu es artiste ?

— Oh non. Pas moi.

— Écrivain ?

— Non, j'ai échappé à cette autre malédiction, Dieu merci.

— Mais tu racontes des histoires palpitantes, Dulcie.

— Une bonne histoire, ce n'est pas vendeur.

— Il faudrait la retaper. Lui remettre une couche de peinture.

— Pas besoin.

— J'ai aussi vu qu'il y a un poêle à bois dedans.

— Je l'ai fait installer pour les mois d'hiver.

— C'est toi qui l'as construite ?

— Oui. Enfin, non. Pas de mes propres mains. J'ai participé à la conception. »

Durant quelques secondes, on n'entendit que le chien qui mâchonnait son pain. Le silence et le calme qui enveloppaient le bucolique royaume de Dulcie me frappèrent alors de plein fouet, ainsi que la quiétude ambiante, et l'impression d'être à l'écart de tout. À cet instant j'ai éprouvé la lueur ténue de la solitude, aussi froide qu'un éclat de glace, que

Dulcie ressentait peut-être en son for intérieur. Timidement, j'ai émis une suggestion.

« Je pourrais la remettre en état si tu veux.

— Quel intérêt ?

— Il faudrait la protéger avant que l'humidité ne fasse trop de dégâts.

— Laisse l'humidité faire son travail. La maison me suffit.

— Une couche de peinture et un bon coup de balai, il n'en faudrait pas plus. Ça va l'aider à tenir plus longtemps. Lui donner une nouvelle jeunesse avant que la prairie ne l'avale entièrement.

— Que la prairie en profite. Pas la peine de se donner autant de mal.

— Quand même. Une bonne cabane, c'est dommage.

— Écoute, Robert, si tu veux perdre ton temps je ne m'y opposerai pas. L'atelier ne m'est d'aucune utilité en ce moment mais je tiens absolument à te dédommager.

— Je ne réclame pas d'être payé. Ça ne me prendra qu'une journée. Deux tout au plus. Une pour nettoyer à fond et passer la première couche, une autre pour la seconde couche.

— Tu ne peux pas travailler le ventre vide, quand même. Je n'en démordrai pas. Il y a toute la peinture qu'il te faut dans l'appentis. Sers-toi. Des pinceaux également, même s'ils doivent avoir une triste mine. Prends ce que tu trouves.

— Et quand j'aurai fini...

— Tu largueras les amarres ?

— C'est ça.

— Dans ce cas, marché conclu. »

Le sourire de Dulcie, d'abord indécis et discret, lui fendit le visage d'une oreille à l'autre. Elle leva son verre, bien entamé, et ce fut le moment de trinquer, elle avec son vin, moi avec une eau de source fraîche qui avait un léger arrière-goût de terre.

« Bien, fit-elle. Très bien. »

Le jour déclinait rapidement et j'avais les avant-bras qui me démangeaient toujours quand Dulcie ramassa une minuscule coquille d'escargot, abandonnée depuis belle lurette par son occupant. Elle l'étudia d'un œil attentif.

« Tu vois cette coquille ? Parfait exemple de la suite de Fibonacci. Les mathématiques appliquées à la nature, où certaines plantes, certains insectes et certains animaux suivent ce qu'on appelle le nombre d'or. Les êtres humains, aussi. Des études ont été menées sur le sujet. Cela me réjouit l'âme de savoir que, parmi le chaos, on trouve toujours une parcelle d'ordre.

— Je n'ai pas tout compris.

— Eh bien, c'est l'un des prodiges du monde naturel. Tout est question de proportion, vois-tu. Je crains de ne pas maîtriser l'aspect technique de la chose mais grosso modo, chaque nombre est la somme des deux nombres qui le précèdent. C'est une forme récurrente, repérée d'abord dans la façon dont les lapins se reproduisent. On la retrouve dans les pommes de pin et les ananas. Dans la disposition des feuilles sur une tige. Au cœur des bananes et des pommes, paraît-il – à vérifier plus tard si ça t'intéresse. Elle est à l'œuvre dans les coquillages et les artichauts, les fougères et la carapace en forme d'hélice qui sert de logis à ce magnifique gastéropode parti en vadrouille – tu ne trouveras pas de créature mieux conçue. La séquence de Fibonacci. Les nombres de Fibonacci. L'un des nombreux prodiges mathématiques de la vie.

— On ne m'a rien enseigné d'aussi intéressant à l'école, ai-je observé, et je ne mentais pas, car déjà j'oubliais ce que m'avaient martelé d'assommants professeurs sans visage, effacés de ma mémoire par la verve et la fougue de Dulcie. Si l'un d'eux avait été animé de la même flamme qu'elle, même à moitié, j'aurais peut-être été tenté de poursuivre mes études.

« Des miracles de ce genre, il y en a en abondance dans la nature. Regarde, je t'en montre un autre. Enlève ta chaussure, tu veux bien ?

— Mon brodequin ?

— Oui, s'il te plaît. »

Obtempérant, j'ai défait le lacet.

« Maintenant, tends la main et déploie tes doigts en éventail – voilà, étire-les au maximum. Bon, l'envergure, c'est ce qu'on mesure entre l'extrémité du pouce et l'extrémité de l'auriculaire. Maintenant, pose la main sur ton visage. Un peu plus bas, Robert. »

164

J'ai gardé quelques instants la paume appuyée contre le nez, le temps de me rendre compte que l'envergure correspondait presque au millimètre près à la largeur de ma face.

« Tu vois, fit Dulcie, exactement la même taille, du pouce à la pointe de l'auriculaire. »

Baissant la main, j'ai demandé :

« Pourquoi tu m'as demandé d'enlever mes chaussures ?

— Ah, oui. Maintenant, compare la longueur de ton pied à la largeur de ta main. »

Je me suis exécuté aussitôt et, là encore, ça concordait.

« Maintenant l'avant-bras. »

Résultat identique.

« Si tu pouvais poser ton pied sur ton avant-bras tu verrais que là aussi, c'est pareil, même si nous le savons déjà. Et pour conclure la démonstration, renifle un bon coup ta chaussure.

— Je dois renifler à l'intérieur ?

— C'est ça. Fourre ton nez dedans et inspire. »

Approchant le brodequin de mon visage j'ai humé la semelle en cuir imprégnée de sueur, rendue fétide par l'été et par les kilomètres parcourus. J'ai fait la grimace.

« Ton verdict ?

— Ça ne sent pas la rose.

— Précisément.

— Quel rapport avec la suite de Fibonacci, Dulcie ?

— Aucun. C'est la façon que j'ai trouvée de te dire, le plus poliment possible, que tu as les panards qui puent, Robert, et que nous

165

reprendrons nos petites causeries à la condition que tu aères un bon coup tes godasses, et peut-être même que tu les saupoudres de talc de temps à autre. »

Levé au point du jour, j'ai trouvé une mare alimentée par le ruisseau, assez profonde pour m'y asseoir et avoir de l'eau jusqu'à la taille. Une poignée de mousse me servit d'éponge et j'ai insisté entre les orteils, puis j'ai lavé mes chaussettes de rechange.

Nul signe de Dulcie lorsque j'ai commencé à débarrasser la cabane, enlevant d'abord les meubles entreposés dans un coin, puis les bouteilles vides, les abat-jour et les cadres cassés. Deux cendriers, des chiffons roulés en boule et une palette dont les godets contenaient encore de la peinture, leur surface craquelée et aride évoquant le désert. J'ai sorti un carton recelant des journaux datés du début des années 30, une liasse de photographies, des programmes de théâtre et des imprimés divers et variés noués au moyen d'une ficelle. Quand je les ai feuilletés j'ai découvert des talons de tickets, des invitations à des fêtes, des feuilles arrachées à des carnets et noircies de griffonnages, de nombreuses listes recensant des gens et des lieux, des tâches à accomplir et des choses à acheter, mais en les survolant, j'ai éprouvé une pointe de culpabilité voyeuriste. Je m'immisçais dans des existences sans qu'on m'y ait invité. Aiguillonné par la curiosité, j'ai poursuivi mon exploration avant de me raviser et de tout remettre hâtivement à l'intérieur du carton.

J'ai trouvé une valisette marron dont les fermetures avaient pris une teinte turquoise sous l'effet de la corrosion et que j'ai dû forcer. Dedans, une chemise renfermait un texte tapé à la machine dont les pages étaient attachées avec ce ruban rose généralement utilisé pour les documents juridiques. Il ne pesait pas lourd dans ma main.

Posé sur le manuscrit, il y avait un objet singulier fabriqué à partir de lambeaux de tissu effrangés et grisâtres, chacun noué à un cadre rond en bois – du coudrier, peut-être – et entrecroisé de ganses. À ce cadre était fixée une ficelle qui permettait de le suspendre. Au centre se trouvait une cocarde façonnée à la main qui se balançait et une paire de gants montants aux paumes jointes par un unique point de couture, comme en prière. Lorsque je l'ai tenue bien haut pour qu'elle se déploie complètement, les ganses retombèrent à la façon du varech que j'avais vu la veille jaillir des rochers qui lui servent d'abri, mais à l'envers.

Cet objet étrange et inexplicable me perturba tant que je le mis de côté avec mille précautions. Le soleil choisit cet instant pour se déverser dans l'atelier, m'éblouissant une fraction de seconde ; lui tournant le dos, j'ai dénoué le ruban du manuscrit.

Sur la couverture, j'ai lu le titre dactylographié :

Au large
Romy Landau

Intrigué, je l'ai étudié un moment avant de le rendre à la valise.

Une heure plus tard environ, je suis redescendu au village et dans une quincaillerie je me suis procuré des pinceaux neufs, du white-spirit, du vernis, du papier de verre, des clous et tout un tas de bricoles dont j'avais besoin.

La boutiquière me regarda explorer les rayons sans me quitter des yeux mais il me suffit de lui présenter l'argent – Dulcie m'avait chargé de régler son compte mensuel – pour que son visage s'éclaire, et elle calcula ce que je lui devais.

« Tu es le petit gars du Nord dont on m'a parlé, fit-elle.

— Oui. J'imagine.

— De la famille de Dulcie, alors ?

— Non. »

D'instinct, et dans le but de protéger Dulcie, je me suis braqué car j'ignorais les intentions de cette femme et ce qui motivait cet interrogatoire. J'avais vécu dans un village et je connaissais le pouvoir destructeur des rumeurs nées au-dessus d'un comptoir d'épicerie, mais j'avais aussi appris l'art de la discrétion.

Elle jeta un coup d'oeil à mes achats. « Un artisan ?

— En un sens.

— Avoir de la compagnie, ça va lui faire beaucoup de bien. Elle doit se sentir très seule là-haut sur sa colline, après ce qu'elle a enduré.

— Elle a son chien avec elle. »

La femme secoua la tête. « Maigre consolation. Terrible. Une histoire terrible.

— C'est vrai, ai-je répondu avant de demander : Qu'est-ce qui est arrivé, exactement ?

— Ça, ce sont les affaires de miss Piper, répliqua-t-elle en me tendant mon sac. Ça la regarde elle et elle seule ; elle t'en parlera quand elle le jugera bon, et si elle le juge bon. Je ne suis pas du genre à déballer les histoires des autres au premier ouvrier qui pousse la porte du magasin. »

J'ai bien vu que la boutiquière mourrait d'envie d'en dire plus – ou que je la harcèle de questions – pour pouvoir jouir du plaisir sadique de m'envoyer promener, et le ton sur lequel elle prononça « ouvrier » était empreint de condescendance – mais je me suis borné à la remercier, puis j'ai quitté la quincaillerie pour retourner chez Dulcie. Ma curiosité avait beau être titillée, je n'avais pas le moindre désir de me retrouver englué dans la toile inextricable tissée par les commères du coin. Laissant cela derrière moi, j'ai acheté des pinces de crabe que j'ai dégustées tout en gravissant le raidillon à la sortie du village.

Au goût et à la texture, on aurait dit des tuyaux en caoutchouc dragués du fond de l'océan. J'ai emprunté un sentier plus long, qui sinuait derrière une petite église que j'avais repérée au loin, de l'autre côté des pâtures, dans la vallée de Dulcie. La chapelle se dressait au carrefour de trois routes secondaires et, en m'approchant, j'ai découvert un cimetière, un triangle à flanc de colline entouré d'un muret où s'agglutinaient des pierres tombales, et habité par une dizaine de moutons d'une espèce rare, leur toison tondue aussi noire que la poussière de coke, leurs yeux jaunes indifférents à ma présence. Les bêtes levèrent la tête à l'unisson et se remirent sans attendre à brouter l'herbe qui poussait autour des sépultures tandis que j'escaladais un échalier pour cheminer entre les tombes.

Celles-ci ne ressemblaient en rien aux tombes traditionnelles. Plusieurs pierres représentaient des éléments empruntés au quotidien des marins – cordages, ancres, poissons jaillissant de l'eau, rien ne manquait – et les épitaphes racontaient des vies abrégées par la tempête. Nombre d'entre elles, je l'ai remarqué, saluaient la mémoire d'hommes noyés le même jour. D'autres s'ornaient de gravures évoquant des outils d'agriculteur : faux, fourches, râteaux, fléaux. Une ou deux fois, j'ai identifié des mains jointes, symbole d'amitié, et souvent, un même patronyme qui revenait sur plusieurs tombes.

Les sépultures étaient entretenues par les moutons qui nettoyaient consciencieusement la dernière demeure d'hommes portant des noms anciens tirés de la Bible, comme Obadiah, Ezekiel ou Aloysius, et décédés un siècle plus tôt, voire avant. Les dalles en pierre du Yorkshire battues par les vents faisaient face à la mer meurtrière et cultivaient le souvenir de défunts dont les dépouilles n'avaient jamais été retrouvées.

La chapelle en elle-même était un petit cube en grès coiffé d'un clocher à peine plus grand qu'un fût de cheminée. Dans un renfoncement du portique une hirondelle avait bâti son nid de boue et d'herbe, des oisillons y faisaient entendre des pépiements pressants et, à l'instant où je suis monté sur un banc pour mieux les voir, quatre petites têtes levées vers le ciel m'accueillirent, attendant un asticot, le bec ouvert si largement qu'on voyait le rose de leur gosier.

J'ai poussé la porte en chêne rugueux pour pénétrer dans la pénombre du lieu saint.

La fraîcheur y régnait, ainsi que le silence, et on y sentait le parfum des siècles : poussière, encaustique, vieux coussins élimés, cuir, manteaux mouillés, huile et cire de bougie, le mélange de ces odeurs déclenchant la morsure de cet effroi que l'on éprouve face au prodige de l'architecture dédiée à la foi et à ses manifestations.

Je suis passé devant une table sur laquelle étaient disposés des fleurs fanées, le livre d'or et le tronc, puis j'ai remonté l'allée centrale qui, à la façon de la piste tracée par les blaireaux que j'avais suivie le premier jour, était un plan incliné, affaissé et usé par des générations de paroissiens à la démarche traînante. L'église était étroite mais le plafond voûté, dont la hauteur surprenait, évoquait une goélette qui avait chaviré. Le bruit de mes brodequins se répercutait sur les vieilles poutres cintrées au-dessus de moi.

On accédait aux bancs en poussant un portillon qui m'arrivait au torse et, dans cette configuration, les ouailles devaient lever la tête pour regarder la chaire, éclairée par un simple vitrail déversant sa lumière sur un immense crucifix dont l'ombre portée faisait cinq fois sa hauteur. À cause des proportions faussées et des angles qui ne correspondaient pas à la réalité, j'avais l'impression de me regarder dans le miroir déformant d'une fête foraine.

Un escalier en bois, dont les marches émirent un grincement inquiétant à chacun de mes pas, menait à des loges à la verticale et à un balcon exigu qui avançait sur la nef. Alors j'ai pris conscience que je n'étais pas seul : au fond de la chapelle, recroquevillée tout au bout de l'avant-dernier banc, une femme se recueillait, le visage incliné et les épaules secouées de sanglots silencieux.

Si elle m'avait vu entrer – et les chances étaient minces que ma présence lui ait échappé – elle fit comme si je n'existais pas et j'ai éprouvé l'impression soudaine de m'ingérer dans sa douleur. D'être un intrus qui n'avait pas la foi.

Je m'apprêtais à partir quand j'ai avisé, suspendus à la voûte, plusieurs de ces objets étranges, semblables à des mobiles, identiques en tous points à celui que j'avais déniché dans la cabane. Ceux-ci m'apparurent réalisés à partir de chutes de tissu, accrochés aux poutres par de la ficelle, comme des méduses dans les profondeurs marines.

En passant à côté, j'ai vu que la femme n'était pas âgée et qu'elle tenait sur les genoux le calot plié d'un soldat. Accablée de chagrin, elle garda la tête baissée lorsque j'ai soulevé le loquet et refermé la porte derrière moi, sans un bruit.

VII

Cette nuit-là, dans la cabane, l'histoire se répéta : mon sommeil fut de nouveau interrompu par un animal qui furetait dans les parages. Très lentement je me suis redressé et, risquant un coup d'œil par le carreau, j'ai surpris un blaireau à trois mètres, pas plus, occupé à gratter la terre friable. Gros et gris, il me tournait le dos et sa posture voûtée me rappela la veuve de guerre que j'avais vue en pleurs dans la quiétude du soir et, une fois encore, je me suis retrouvé en proie à la culpabilité du voyeur, tout en mesurant ma chance d'assister à ce moment de solitude au clair de lune.

La bête corpulente et âgée, au pelage rêche, était si proche que j'ai pu apprécier la longueur de ses griffes tandis qu'elle fourrageait parmi les fougères qui se déployaient les premières en ce début d'été. Elle dévoila ses incisives pointues et jaunâtres lorsqu'elle s'attaqua à un interminable ver de terre, comme un enfant mâchonne un laçet à la cerise pioché dans un sachet de bonbons assortis. Seul son museau présentait les habituelles rayures noires et blanches.

Le blaireau finit par s'en aller d'un pas nonchalant, la truffe au sol, sans remarquer ma présence émerveillée.

Rendu euphorique par cette rencontre, pleinement réveillé, le sommeil désormais hors d'atteinte, j'ai allumé la lampe et je suis allé chercher le manuscrit dans sa valise.

Page de garde, table des matières. À la page suivante, la dédicace :

Pour Dulcie
La Fileuse de miel

J'ai lu un poème intitulé « Exeunt (ou Les chevaux blancs) » et, arrivé au bout, j'ai repris depuis le début. Même si j'avais le sentiment d'empiéter sur un territoire interdit, peuplé de mots et d'images qui m'étaient étrangers – aussi étrangers que le sens et le message qu'il contenait, justement, si tant est qu'il recelait des éléments à ce point tangibles – le poème éveilla en moi un trouble inconnu. À cet instant, des sensations inédites, entre malaise et désir d'en savoir plus, prirent forme et, notamment, la conscience écrasante d'occuper un endroit, d'occuper l'instant présent, à croire que les mots avaient rampé à travers le papier et s'étaient détachés de la page pour m'assiéger comme du lierre qui m'ancrait à la substance du poème, l'imagination à l'œuvre

176

dans ces vers et la réalité s'entremêlant Dieu seul sait comment pour dépeindre la terre et la mer dans une langue plus suggestive. Je l'ai lu une troisième fois.

Le poème suivant s'intitulait « Démettre au monde ». Celui-là aussi, je l'ai lu. Je les ai tous lus et, le recueil achevé, je suis retourné à la première page et je me suis replongé dedans.

Même si j'étais loin de tout comprendre, je ne me suis pas senti intimidé par la structure d'*Au large*, peu orthodoxe, ni déstabilisé par sa richesse lexicale, bien au contraire. Je ne savais pas qui était Romy Landau mais sa poésie était limpide et amenait à la vie un monde dont j'étais familier. Ces pages décrivaient des tableaux que j'avais vus de mes propres yeux, elles racontaient des lieux récemment explorés, et son écriture relevait presque de l'alchimie ou de l'incantation dans l'effet qu'elle produisait. Ces poèmes avaient été composés là où j'étais assis, dans cette cabane, cet environnement foisonnant avec le brouillard qui montait de la mer et tourbillonnait à travers la prairie, les nids des oiseaux et, oui, les blaireaux à la maraude dans l'obscurité qui précédait l'aube. Chacun se lisait comme un message fourré au fond d'une bouteille et confié aux méandres du temps, dont j'étais le seul et unique destinataire. Ces œuvres, qui auraient pu dater de la veille, prenaient racine ici, dans ce coin tranquille sur cette colline en surplomb de ce littoral. Je les ai appréhendés par les sens, et cela me suffit.

J'ai rendu le manuscrit à la valise et, allongé sur ma couverture, j'ai regardé le soleil levant caresser de ses longs doigts le plafond de la cabane tandis que la rosée s'évaporait en volutes et la sensation qu'on avait appuyé sur un interrupteur s'éveillait en moi. Fatigué mais parfaitement alerte, à l'écoute de la voix de la poétesse qui résonna en moi long-temps après avoir tourné la dernière page. Pas d'euphorie, non, plutôt un trouble intérieur. Avec ce déferlement d'images prémonitoires de carnage, l'œuvre était à la fois obsédante et hantée, tout à fait à contre-courant des sonnets surannés et hermétiques qu'on nous avait forcés à apprendre par cœur à l'école. Même si Romy Landau était pour moi une illustre inconnue, j'ai perçu la modernité de son style, façonné par des événements récents, bien réels. Ses poèmes fonctionnaient comme une série de miroirs orientés sur eux-mêmes qui se renvoyaient éternellement leur reflet, jusqu'au néant. La mort habitait chaque page, cela ne faisait pas le moindre doute. Il y avait, là-dedans, matière à réfléchir.

J'en étais là de mes pensées quand tous les pigments de cette matinée d'été inondèrent la cabane en un flot de couleurs.

J'ai travaillé jusqu'au soir. Très vite, j'ai dû me rendre à l'évidence : pour délivrer la cabane de l'emprise de la prairie vorace, de l'humidité, des plantes qui rampaient, des champignons et des nuisibles, j'allais devoir effectuer une myriade de tâches insignifiantes.

J'ai tout d'abord entrepris de dégonder la porte pour la remonter en m'assurant qu'elle ne laisserait plus passer aucun courant d'air. Cet objectif en tête, j'ai raboté, poncé et verni le cadre, puis installé un jeu de gonds neufs ; il aurait fallu s'y mettre à deux car cela me prit un temps fou, sans compter la fatigue et la peine que je me suis donnée, et le doigt que je me suis coincé, une poche de sang se formant immédiatement sous l'ongle. J'ai ensuite remplacé la poignée d'une fenêtre qui ne tenait plus, posé des tuiles bitumées neuves là où le toit en avait le plus besoin, et resserré les robinets dans la petite salle de bains en parfait état, exception faite de la pellicule de moisissures sur un pan de mur et le réservoir de la chasse d'eau qui nécessitait des ajustements minimes.

En fin de matinée, Jojo annonça d'un bref aboiement l'arrivée de Dulcie tandis que sa maîtresse se frayait un chemin à travers les hautes herbes. Elle apportait des sandwiches sur un plateau.

« Je te les laisse ici.

— Merci. Tu veux voir ce que j'ai fait ?

— Pas particulièrement. Je me fie à ton jugement, Robert. »

Elle semblait réticente à l'idée de mettre les pieds dans la cabane. Du regard, elle balaya les objets éparpillés dans l'herbe.

« Ça sent le renard.

— Le renard ?

— Oui. L'âcre puanteur d'un indésirable de l'espèce Vulpes. Tu ne sens rien ?

— J'ai la tête pleine des vapeurs du vernis, j'en ai bien peur.

— Regarde… Jojo l'a détecté lui aussi. »

Pivotant sur mes talons, j'ai vu le chien renifler le secteur derrière la cabane, la truffe à cinq centimètres du sol, à la façon d'un détecteur de métaux qui explore la surface d'un champ labouré. Il s'arrêta, la patte repliée.

« Je doute fort que tu aperçoives maître Reynard, me dit Dulcie sans me laisser le temps de lui raconter la visite matinale du blaireau. Pas si Jojo se met à pisser partout.

— Qui est maître Reynard ?

— Le renard, bien sûr.

— Ils ont tous un nom ?

— Tous les renards s'appellent Reynard.

— Mais pourquoi ?

— Eh bien, le renard occupe une place fondamentale dans notre folklore, même si le petit nom qu'on lui donne – crois-le ou non – tire son origine d'Allemagne. Si ma mémoire ne me joue pas de tour, c'est une déformation de Reinhard, ou un dérivé. Une figure d'homme-renard rôde dans la mythologie européenne depuis des temps immémoriaux. On le retrouve chez Chaucer, hantant les rêves d'un jeune coq doué de la parole. C'est un filou, un vaurien pour beaucoup mais, pour d'autres, un anti-héros et le roi de l'entourloupe.

— Par chez nous, les fermiers les abattent.

— Cela ne m'étonne pas, les brutes. Un acte de pure barbarie.

— Mais ils tuent les poules. »

Dulcie poussa un soupir. « Les humains aussi tuent les poules. Mais devons-nous pour autant être traqués, piégés, mutilés, empoisonnés, capturés, fusillés ou réduits en charpie par une meute de beagles demeurés ? »

J'ai souri. « Je pense à une ou deux personnes en particulier que j'aimerais mettre sur le chemin d'une meute de beagles. »

Dulcie s'esclaffa et me proposa un sandwich, que j'ai accepté.

« Qui, par exemple ?

— Ce garçon à l'école. Dennis Snaith.

— Je le déteste déjà. Dennis Snaith, il n'y a que les cafteurs ou les petites brutes de bac à sable pour porter un nom pareil.

— Il était les deux.

— Et qu'est-ce que cette méprisable limace a fait pour s'attirer ton courroux ?

— Il m'a cassé le nez pendant une partie d'épervier.

— La petite enflure.

— Oui. Mais je lui ai rendu la monnaie de sa pièce.

— Tant mieux. Excellent. Parfois c'est le seul langage que ces gens comprennent. »

J'ai pris une bouchée de mon sandwich à l'œuf et au cresson. Dulcie glissa une main dans sa poche.

« J'ai du sel.

— Ça ira, merci. »

Elle fourra sa main dans une autre poche.
« Du poivre ?

— C'est très bien comme ça.

— Eh bien, je te laisse à ton dur labeur.

— Je ne t'ai pas montré ce qu'il me reste à faire, ni ce que j'ai trouvé.

— Tu as trouvé quelque chose ?

— Oui. Il y avait tout un bric-à-brac dont on peut se débarrasser, je pense – des bouteilles vides, des objets de ce genre.

— Jette-moi ça. Jette tout.

— Mais ce n'est pas tout. »

Dulcie me suivit à l'intérieur. Je me suis essuyé les mains sur mon pantalon et j'ai pris la valise, d'où j'ai sorti le recueil de poèmes.

« Malheureusement je n'ai pas mes lunettes, asséna Dulcie. Et j'ai un million de choses sur le feu. »

Elle tourna les talons.

« Ce sont des poèmes. Qui te sont dédicacés. Le titre, c'est…

— *Au large*. »

Dulcie me dévisagea quelques instants et j'ai vu, affichée sur ses traits, une expression qui y apparaissait pour la première fois – un désespoir muet, peut-être. Une douleur contenue derrière une façade stricte. Un chagrin réticent.

« Je sais, ajouta-t-elle en forçant la voix. Et tu l'as lu ?

— Un peu, oui, ai-je menti. J'espère que ça ne te dérange pas.

— Pourquoi ça me dérangerait ? Je n'en suis pas l'auteur.

— Quand même.

— Les poèmes appartiennent au monde entier. On choisit de les lire ou pas. Ils dépassent l'échelle de l'individu.

— Tu aimerais les voir ? » J'ai tendu la liasse de feuillets.

« Les voir ?

— Oui.

— Robert, je les ai vécus, pour ainsi dire. Je n'ai pas besoin de les lire.

— Il y avait ça, aussi. » Je lui ai montré l'objet garni de lambeaux de tissu. « Je me demande ce que c'est. »

Dulcie ne me le prit pas des mains. Elle préféra se tourner vers la prairie. Vers la mer.

« Si tu tiens vraiment à le savoir, on appelle ça une guirlande de vierge.

— J'en ai vu un autre, très ressemblant, dans l'église le long du sentier.

— Tu es allé à la chapelle ?

— Oui.

— C'est un symbole.

— Un symbole de quoi ? »

Un long silence.

« De pureté. »

Comme je suis resté sans répondre, Dulcie reprit la parole. « La pureté sexuelle. On les fabrique à l'occasion des enterrements.

— À l'église, elles étaient accrochées au plafond, comme pour décorer.

Dulcie poussa un soupir. « Je te l'ai dit, c'est un symbole. On en ceint le front de ceux qui sont censés être morts chastes.

— Chastes ?

— Purs. Soi-disant. Vierges. Elles couronnent ceux qui ont passé l'arme à gauche avant leur temps. La pauvre Ophélie d'Hamlet en portait une quand on l'a trouvée dans son tombeau aquatique, elle s'en était coiffée de sa propre main. »

Elle fronça les sourcils, inspira, reprit le fil.

« Oui, jadis, se donner la mort, c'était se condamner à être inhumé dans une terre non consacrée ; aucun cimetière chrétien n'acceptait les suicidés, ce qui ne me surprend pas, même si c'est à mon sens d'une cruauté indicible. Au crédit de Shakespeare, dans *Hamlet*, le roi fait une petite entorse aux règles : "mais on lui a accordé ses couronnes de jeune fille, ses jonchées de fleurs virginales, et l'accompagnement des cloches et des funérailles". Couronne, guirlande, ça désigne la même chose. Ainsi, son "âme qui part en paix" s'en est allée avec ce diadème sur les boucles indomptées de sa chevelure. »

Le silence s'abattit sur nous et, soudain, j'ai pris conscience que la cabane avait été construite pour héberger une seule personne. Ses dimensions encourageaient une intimité physique qui, à cet instant, provoqua en moi une sensation d'inconfort tandis que la pause s'éternisait, comme un vide attendant qu'on le remplisse.

« Pourquoi tu as cette couronne, Dulcie ?

— Parce que. »

J'ai eu une seconde de flottement.

« C'est lié aux poèmes ?

— Tu poses trop de questions.

— Excuse-moi.

— Et tu t'excuses toujours trop, aussi.

— Pour cela, je ne m'excuse pas, ai-je rétorqué au bout d'un moment.

— Bonne réponse. Te voilà presque pardonné. »

Dulcie me tendit la main. Je lui ai donné le manuscrit et la guirlande de vierge.

« Tout, fit-elle. Tout est lié. »

Elle jeta un regard rapide à la première page avant de refermer le recueil d'un geste brusque et de se détourner, les yeux dans le vague. J'ai remarqué à cet instant qu'elle était au bord des larmes et que son anxiété s'était amplifiée.

« Je n'ai jamais pleuré devant quelqu'un, pas une fois, déclara-t-elle, dissimulant son visage. Même aux funérailles, mes yeux sont restés secs. Même ce jour-là. Il a fallu attendre aujourd'hui. »

Jojo nous rejoignit à cet instant et tourna autour de nous, manifestant son intérêt.

« Excuse-moi si je t'ai causé de la peine.

— Pour la énième fois, arrête de t'excuser. »

Le manuscrit au bout de son bras, elle me refit face.

« Bon, j'imagine que le moment est venu, que cela me plaise ou non.

— Le moment de quoi ?

— Le moment de tout t'expliquer. »

J'ai bien tenté de dire quelque chose, d'offrir des paroles sincères, sages et réconfortantes, mais sans doute ma jeunesse m'empêchait-elle de les formuler. Alors j'ai rougi jusqu'aux oreilles et, sentant la nausée monter, j'ai souhaité que le chien se décide à réclamer notre attention à cet instant. Seules des phrases désarticulées franchirent mes lèvres.

« Tu n'es pas obligée... » Je me suis interrompu, puis j'ai essayé une autre approche. « Ce que j'essaie de dire, c'est que...

— Trop tard, répliqua Dulcie. Le barrage craque de toutes parts sous la pression de l'eau. Une chose, cependant.

— Oui.

— Il va nous falloir une pleine barrique de thé et je crois que c'est ton tour d'aller à la cueillette. Finis tes sandwiches d'abord, quand même, et rejoins-moi à la maison. »

« Son nom peut se traduire par "têtue" ou "rebelle". Romy. C'est à Londres que nous nous sommes rencontrées. Elle était poète, en route vers la gloire, déjà à l'époque. Pas dans ses écrits – encore étudiante, elle cherchait sa voie – mais dans la direction qu'elle avait donnée à sa vie : sans entraves, affranchie de ce tempérament acariâtre qui correspond à la caricature de l'Allemand. Vois-tu, Robert, son existence même était poétique : son allure, son humour, son rire. La façon dont elle se tenait. Et, je te prie de me croire, la décision d'embrasser un non-conformisme bohème en 1933 n'était guère encouragée à l'époque – ironique, quand on pense aux origines géographiques de cet adjectif. »

Nous avions pris place au salon – la pièce que Dulcie appelait le fumoir. J'étais assis dans un fauteuil, elle avait préféré rester debout. Par deux fois elle faillit se cogner contre un petit lustre dont les pampilles en verre dessinaient des motifs sur le papier peint défraîchi, imprimé d'un entrelacs de feuilles de saule sur fond beige.

« Enfin. Bref. La catastrophe se précisait, écrite en grosses étoiles jaunes. Difficile d'imaginer qu'un esprit comme le sien croupisse dans un pays dirigé par une clique de malfrats secondés de crapules, donc, dès que le Führer posa son cul sur son trône en toc, Romy boucla ses valises. Elle s'exila, un exil volontaire rendu possible par ses œuvres. Elle décrocha une bourse d'études. Elle aurait pu s'inscrire à Oxford ou Cambridge mais elle prétendait ne pas avoir réussi à les trouver sur la carte et avoir choisi notre belle capitale à la place. Là où je l'ai rencontrée. Elle exerçait son attirance sur beaucoup de monde, mais j'ai été celle qui a succombé à son magnétisme.

— Toi et elle...

— ...nous nous moquions complètement du fossé de l'âge et du regard des autres ? C'est ce que tu allais dire ? Si tel est le cas, je confirme, mais par pitié, plus de questions,

Robert. C'est moi, et moi seule, qui prends les commandes. »

Dulcie reprit le fil de son histoire.

« Donc oui, pour évoquer plus en détail la colère des détracteurs, des casse-pieds et des culs-bénits, Romy était beaucoup plus jeune que moi mais elle était dans l'excès tout le temps, avec tout le monde. Plus vive, plus drôle, plus enjouée, l'esprit aussi affûté qu'une rapière, l'idéal pour embrocher les imbéciles bouffis de graisse et d'argent qui tombaient à ses pieds. Il fallait qu'elle trouve un canal d'expression et, grâce à l'aiguillage tout en douceur de ton humble servante, elle trouva sa voie dans la poésie. À l'époque où elle décrocha sa licence – sortie deuxième de sa promotion, elle en pleura de déception une semaine entière – je commençais à me lasser de Londres et de ces mêmes trognes sinistres, des fêtes soporifiques, des ragots et de la frénésie ambiante, de l'interminable défilé des lords et des vicomtes, des héritiers odieux et des fins de race vaguement liés à la famille royale, et elle avait un besoin désespéré de calmer ses nerfs parce que, Robert, il est capital que tu comprennes que le cerveau de Romy cavalait à toute vitesse, sans répit, et qu'on était de grosses buveuses l'une comme l'autre. Mais, là où moi, deux cachets d'aspirine, un œuf cru et une bonne nuit de sommeil me suffisaient pour me remettre de nos libations, elle, de son côté, se retrouvait en proie à l'accablement, de terribles épisodes qui la cloîtraient dans sa chambre pendant des jours. À la fin, elle était exténuée, une coquille vide. Une loque. Le problème dépassait l'alcool et plongeait ses racines dans une zone plus sombre, en profondeur. Cela faisait des lustres que mon père venait se réfugier ici, dans cette maison qui accueillait sans doute ses escapades avec ses maîtresses, et nous nous sommes retirées peu à peu de la vie londonienne afin que Romy puisse prendre du repos et écrire pendant que moi, je jardinais, je cuisinais, je peignais, je respirais et je méditais. Ici, elle et moi, nous étions nous-mêmes. Ensemble. Dans ce havre de paix. Adieu commérages, gin, quintes de toux causée par la pollution, bonjour grand air, légumes du potager et, dans le cas de Romy, baignade quotidienne à la mer. Elle avait une dureté en elle et elle y a pris goût comme – exactement comme toi. Elle affirmait que les bains de mer l'aidaient à se rafraîchir l'esprit, et il est certain que ça a fait merveille. Quand elle revenait, elle paraissait rayonner. »

J'ai hoché la tête. Dulcie semblait chercher les mots dans ses souvenirs. J'ai avalé une gorgée de thé, reposé ma tasse. Elle reprit la parole.

« Ainsi elle a écrit le plus gros de son premier recueil de poèmes dans cette maison, je l'ai édité et bien entendu, ça a fait un tabac en librairie, ce que personne en dehors de moi n'avait présagé parce que mon talent, Robert, c'est de flairer le potentiel en sommeil chez les autres, et de le réveiller. Certains créent, d'autres aplanissent les difficultés. C'est ce que je fais. Je cajôle. J'encourage. Le mécène parfait. Bref, très vite les critiques ont encensé cette voix nouvelle et unique apparue dans le paysage européen et Eliot s'est fendu d'une lettre, et le jeune Wystan Auden aussi, et Will Yeats a écrit plein de choses gentilles, et Robert Frost a envoyé un télégramme d'outre-Atlantique – Pound nous a snobés mais cela n'a surpris personne – et ensuite, la machine était lancée. Romy était sur orbite et sa vie a pris une autre dimension. Il y a eu les voyages. Les voyages dans un tas d'endroits. Les souks de Marrakech. Les temples de Tulum. Les ruines de Pompéi. L'Amérique, bien sûr, qui nous a émerveillées par sa gloutonnerie et sa vulgarité, dont nous nous sommes délectées. L'Islande, même. Et bien entendu, la plupart des grandes villes d'Europe où Romy a donné des lectures et ensorcelé les journalistes, comme partout où elle passait. Elle était très demandée et, une fois encore, le manège de la vie s'est mis à tourner à une vitesse vertigineuse. Gin au petit déjeuner et champagne à midi, d'où un chapelet de factures impayées au room service, la rengaine habituelle. L'Europe était splendide à cette époque. »

Dulcie s'interrompit quelques secondes puis reprit, la voix distante.

« Peut-être retrouvera-t-elle bientôt sa splendeur passée. »

Elle traversa la pièce et décrocha du mur une photographie encadrée qu'elle me confia.

Le cliché montrait une jeune femme dont la beauté dépassait ce que j'avais pu imaginer. Le menton relevé, à peine, donnant l'impression par sa pose de mettre au défi le photographe sans prononcer le moindre mot, en un sens, et la peau si pure et si nette qu'elle semblait irradier. Les lèvres nues, légèrement entrouvertes, révélant des dents plantées de travers, un détail qui me titilla, et même si la photo était en noir et blanc, j'ai vu le bleu éblouissant de ses yeux qui contrastait avec sa chevelure, coupée assez court, aussi noire que le jais extrait à Whitby. Immédiatement, j'ai voulu regarder d'autres portraits, l'étudier sous d'autres angles. Tout savoir d'elle.

« Elle est très jolie, ai-je fait, la gêne posant un couvercle sur mes émotions. On dirait…

— On dirait ?

— Une célébrité. Une star de cinéma. »

Dulcie me prit la photo des mains et posa dessus le plus furtif des regards.

« Il avait quel titre, son livre ?

— *Le Lustre d'émeraude*, m'informa Dulcie en allant raccrocher le cadre au mur. Il y a eu un tourbillon, entre la mer et la ville, de mondanités, d'apparitions publiques, de dîners dont Romy était souvent l'invitée d'honneur car le monde littéraire n'aime rien tant qu'accueillir dans ses rangs un nouveau talent – de la "chair fraîche", pour parler cru – et durant une période aussi brève qu'exceptionnelle, elle a tenu ce rôle. Il y avait quelque chose de protéiforme dans la façon dont elle a endossé les différents costumes qu'on lui tendait : éditorialiste, femme d'humour et d'esprit, visionnaire. Or, pendant ce temps, la situation se détériorait chez elle.

— À Londres ?

— Non. La mère patrie. Le pays de ses ancêtres. L'Allemagne, où le public n'avait pas accès à son œuvre. La vague nationaliste emportait tout sur son passage, les va-t-en-guerre incultes étaient en train de remporter la partie et les écrivains se retrouvaient face à un dilemme sinistre : soit se soumettre à la censure exercée par les brutes illettrées au pouvoir, soit quitter le pays. Romy avait déjà choisi l'exil, même si je sais que son rêve, c'était d'y retourner un jour. Je ne dis pas que la vie qu'elle menait ici avec moi, et avec son succès littéraire, ne la comblait pas ; je dis qu'elle avait quelque chose à prouver, plutôt. Le Führer et ses sbires étaient aux antipodes de ce qu'elle incarnait – elle comme moi –, et tourner définitivement le dos à l'Allemagne, c'était s'avouer vaincu. Courber l'échine. Sans oublier qu'elle avait toute sa famille là-bas.

— Ils se battaient contre les nazis ?

— Non. Pas obligatoirement. Disons qu'une idéologie aussi monstrueuse ne peut asseoir sa suprématie sans la complicité d'une partie non négligeable de la population, et restons-en là.

— Donc certains membres de sa famille étaient de l'autre bord.

— Évidemment, cela va sans dire. Le nationalisme contamine tout le monde, Robert, à la manière d'un parasite, et après des années de récession, beaucoup ont accueilli ce parasite à bras ouverts. Ici, l'opinion s'était trop rapidement braquée contre tout ce qui venait d'Allemagne. Une question revenait sans cesse : que faire quand on est rejeté par les siens et porté aux nues à l'étranger – même fugacement –, puis rejeté à nouveau parce que le hasard vous a fait naître au mauvais endroit ? À peine avait-elle pris sa première inspiration, Romy était bannie des deux côtés : par le marigot sordide des critiques anglais qui, après l'avoir mise sur un piédestal, se devaient à présent de disséquer chaque foutue virgule sous peine d'être accusés d'antipatriotisme, et outre-Manche, dans son pays natal, où sa voix avait été muselée. Ses lecteurs se sont détournés d'elle, les éditeurs se sont mis aux abonnés absents et tous ces contemporains flagorneurs qui se bousculaient au départ pour lui tirer leur chapeau ont inexplicablement arrêté d'écrire. Sa flamme créatrice, jadis aussi féroce qu'un incendie, a été étouffée par la ferveur nationaliste et les pauvres cons ignares. Elle s'est retrouvée dans une impasse.

— Je n'y connais rien en poésie mais j'ai aimé les poèmes que j'ai lus. Elle avait beaucoup de talent, c'est l'impression qui en ressort.

— Tout à fait, renchérit Dulcie. Du talent à revendre. Absolument hors du commun. »

Elle se tut. Naïf que j'étais, ce fut à cet instant, à cause de l'embarras contenu dans ce silence, que j'ai compris que la guirlande de vierge avait peut-être appartenu à Romy, ou qu'elle servait à commémorer son décès. Mais je n'ai pas osé mettre le sujet sur le tapis, de peur que Dulcie ait la sensation que j'essayais de lui forcer la main. Elle ne versait pas de larmes sur une relation brisée, mais sur une vie perdue. Une tragédie inexprimée.

« Tu le constates de tes propres yeux : la maison est toute petite, et sombre, et les murs semblent se refermer sur toi durant ces maudits hivers sans fin qui déboulent de la Baltique et, à ce moment-là, elle était encore encombrée de ces babioles kitsch apportées par les nombreuses poules de mon père, et il avait fallu installer Romy dans la prairie. Son domicile, c'était la campagne du Yorkshire. J'ai fait construire l'atelier pour elle, à son usage exclusif. Sur mesure. Je le voyais comme un lieu où elle allait écrire et jouir d'une vue magnifique sur la prairie et la baie en contrebas. Un bureau, un poêle à bois. Même un petit lit de camp. Il ne lui manquait rien. *Le Lustre d'émeraude* était une métaphore, vois-tu. Le titre désigne les vagues qui se brisent et projettent des joyaux verts dans le soleil, à l'infini. Dans cette cabane, elle allait ourdir son retour. Sa renaissance, si tu préfères.

— Je me doute qu'elle a travaillé dans de bonnes conditions avant que les mauvaises herbes s'en mêlent. »

L'expression de Dulcie s'assombrit à nouveau.

« C'est possible, souffla-t-elle. Oui, possible. Mais il est difficile de détourner les yeux d'une guerre qui menace et de garder courage. »

Elle avala une gorgée de thé avant de balayer les environs du regard.

« Il est où, ce chien ? » Se mettant debout elle appela Jojo, lequel sortit de la cuisine. « Oh, te voilà. »

L'animal resta là quelques instants, le temps de comprendre qu'on n'avait pas besoin de ses services, et il s'en alla.

« Tu veux savoir ce qui est arrivé ensuite, j'imagine.

— Tu n'es pas forcée de me le dire. Vraiment, rien ne t'y oblige. »

Dulcie soupira. Elle finit par s'asseoir, comme épuisée d'avoir retracé son histoire. Elle se laissa lourdement tomber dans un fauteuil et attrapa un journal plié en deux, dont elle s'éventa. Un répit de courte durée car, très vite, elle se remit debout et s'affaira, sans parvenir à donner le change.

« Ce qui est arrivé ensuite, c'est la guerre, déclara-t-elle en me tournant le dos. Et pas mal de choses à côté. Il faudrait qu'on se ravitaille en thé, non ? Tu veux du thé ? Ou un remontant, peut-être ? »

J'ai refusé d'un signe de tête. « Ça va aller, merci.

— Je vais quand même lancer l'eau. »

Dulcie se faufila derrière moi et alla à la cuisine remplir une bouilloire qu'elle posa sur le fourneau puis elle revint chercher la théière, la boîte de thé et la passette conservées dans un énorme placard à côté de tasses, d'assiettes et de couverts désassortis qui semblaient sortis d'une brocante, alors j'ai pris de plein fouet l'exiguïté de son logis et j'ai imaginé sans peine qu'il se contractait encore durant les longues journées d'hiver. Suffisant pour deux personnes qui s'entendaient bien, à condition qu'elles soient aussi d'un tempérament égal.

« À ton avis, il y aura une autre guerre mondiale ? » ai-je demandé.

Les batteries soudain à plat, Dulcie s'arrêta sur le pas de la porte, oscillant un peu sur ses jambes. Elle avait les mains pleines et sa réponse fut catégorique. « Et comment qu'il y en aura une autre.

— Une troisième ? Tu le penses vraiment ?

— Sans en douter une seconde. Je serais prête à miser ma maison, mon chapeau et mon cheval.

— Tu as un cheval ?

— J'en ai eu un par le passé, oui – plusieurs, même. Mais ce serait une erreur de dire que ce conflit sera le troisième.

— Comment tu peux en être aussi certaine ?

— Parce qu'il y a toujours une guerre qui fait rage à tel ou tel endroit, et on ne tire aucune leçon des précédentes. L'humanité n'existe que par le conflit, et cela n'évoluera pas parce que l'humain ne change pas. Rien ne change. De toute façon, la troisième sera sans doute la dernière.

— Tu ne crois pas au progrès, Dulcie ? »

Elle sortit de la cuisine, posa de côté le plateau chargé de tasses vides puis se laissa tomber sur sa chaise une seconde fois.

« Pas à un progrès linéaire, non. Nous ne nous améliorons pas en continu, si c'est ce que tu impliques. Les enseignements que nous retenons, nous ne les appliquons pas. Un pas en avant, deux en arrière. Puis un bond de côté. Et ensuite en diagonale. Est-ce que je suis assez claire ? »

Je devais afficher un air ahuri, car Dulcie poursuivit sa démonstration.

« Prends ta cathédrale, par exemple. Somptueuse. Une merveille architecturale. Édifiée dans l'objectif d'inspirer respect et ravissement chez ceux qui posaient les yeux dessus – et qui est vieille d'un millénaire ou presque. Un miracle d'ingéniosité, à croire que Dieu en personne en avait dessiné les plans.

— Mais je pensais que tu ne croyais pas...

— Chut, j'élargis notre perspective. Donc. Fais un panoramique et dis-moi ce que tu vois – une ville, oui, très bien. Quoi d'autre ? Je vais te le dire : de ternes bâtiments municipaux en béton à pas cher, des briques identiques les unes aux autres fabriquées en série et – oh, mes pauvres mirettes – quintessence du mauvais goût, du crépi. Pas seulement ta ville, presque toutes les localités du pays. Je parle de constructions aussi plaisantes à l'œil que l'astigmatisme ; sorties de terre pour inspirer – inspirer quoi ? Rien, à part l'ennui et la désespérance. L'angoisse. Un tour cruel joué par des urbanistes à l'imagination indigente. S'ils étaient parvenus à leurs fins, le pays tout

entier se noierait sous le crépi, métaphorique-
ment parlant. »

Dulcie était sur sa lancée.

« Qui ça, ils ? ai-je voulu savoir.

— Oh, tu sais qui. *Eux*. Les zélateurs de la
médiocrité. Les gardiens du triste, les refour-
gueurs de camelote. Des hommes, pour la
plupart. Les tours d'antan, qui se hissaient
jusqu'au firmament, ont été remplacées par
des cubes sans âme où s'entassent les gratte-
papier. Au bout de neuf cents ans, ce n'est pas
ce que je qualifierais de progrès. Loin de là.
On avance, on recule, on marche en crabe,
tout cela à la fois. On tangue, Robert. On
vit dans le chaos, et du chaos naît la guerre.
Pour l'exprimer plus simplement à ton intention : la Grande Guerre a été la pire atrocité
commise par l'humanité. Quelles leçons en a-
t-elle tiré ? Fabriquons des bombes toujours
plus puissantes, toujours plus efficaces, sans
regarder plus loin. Cela n'a pas empêché Hitler
d'arriver au pouvoir et il sera bientôt remplacé
par un autre énergumène surexcité. Il m'arrive de penser que nous sommes tout bonnement foutus, et que c'est irréparable. Pris
de folie collective. Je ne vois que cela pour
expliquer qu'on s'acharne à répéter les mêmes
schémas de mort et de violence. Romy, elle,
elle l'a vu. Elle savait. Elle avait la lucidité du
poète, vois-tu. Parce qu'un authentique poète
ne s'arrête pas aux couches de mensonges,
son regard s'immisce dans l'interstice des

dimensions. Et voilà que la fatigue me gagne. Une sieste, pourquoi pas.

— Bien sûr.

— Peut-être aimerais-tu emmener Jojo se balader une fois que tu auras fini ce qui t'occupe, Dieu seul sait quoi ?

— J'en serais ravi. »

Dans la cuisine, la bouilloire sifflait comme le vent.

Nous n'avons pas repris notre conversation ce soir-là. Peut-être Dulcie s'était-elle temporairement retrouvée à court de mots.

Accompagné de Jojo, je suis parti me promener deux heures durant plus haut dans la lande, j'ai vu mon tout premier serpent – une vipère dodue qui se prélassait au soleil au milieu d'une étroite piste qui traversait la bruyère, empruntée depuis longtemps par les chevaux de bât – et je suis revenu épuisé, les poumons en feu.

Aucun signe de Dulcie à mon retour, les rideaux étaient tirés. Aussi furtif qu'un cambrioleur, j'ai fait bouillir quatre œufs dans une casserole et j'ai ajouté à l'eau une poignée de feuilles d'ortie et un zeste de citron. Je suis allé m'installer sur le seuil de la cabane et là, j'ai soigneusement écalé les œufs avant de les manger, sans me presser, et j'ai bu le thé infusé directement à la casserole tandis que la nuit tombait. Dans la quiétude de la prairie qui s'effaçait sous mes yeux, j'ai allumé une lampe et sorti le manuscrit que Dulcie m'avait prié de ranger dans sa valise.

Sans savoir pourquoi, j'ai relu tous les poèmes. Sans doute le désespoir vu au fond des yeux de Dulcie, et les paroles qu'elle n'avait pas réussi à prononcer. Avec l'ambition, peut-être, de cerner cet esprit hors normes et brillant dont elle m'avait brossé le portrait. Si je voulais savoir qui elle était, et découvrir ce qu'avait vécu son amie Romy, je n'avais qu'à explorer cette liasse de feuilles sur laquelle seules les araignées avaient pu poser leurs pattes toutes ces années.

Cette fois-ci, j'ai prêté une attention particulière au vocabulaire et j'ai noté sur un papier les mots que je ne connaissais pas et qui s'ajoutèrent à ceux que j'avais prélevés dans les livres dévorés depuis mon arrivée chez Dulcie. En voici la liste :

islomanes
cumulus
phosphorescent

codicille
ménisque
vélin

hara-kiri
arbousier
moutonnement

schibboleth
anoxie
hypoxie

Saksamaa
Elbe

seppuku

Nombre de ces poèmes restèrent un mystère durant cette lecture au crépuscule, mais cela ne fit que renforcer mon envie de décrypter leur contenu. Assis là, la flamme de la lampe à huile projetant des ombres prises de convulsions sur les pages blafardes, j'ai eu le sentiment d'avoir l'auteur à côté de moi, dans la cabane. Savoir que ces œuvres avaient été composées à cet endroit me procura un frisson et j'ai saisi pour la première fois le sens de l'expression « être hanté » car plus j'avançais dans ma lecture et plus je me désolais que Romy ne soit plus de ce monde, convaincu que ces poèmes étaient en réalité des messages d'outre-tombe, des missives expédiées d'un lieu où régnait une solitude effroyable. De surcroît, ces messages – ces suppliques, même – étaient envoyés à l'adresse où ils avaient été rédigés. Ici, dans cette cabane où j'étais allongé, au cœur d'une prairie du Yorkshire.

L'évidence se fit dans mon esprit sans expérience, et presque sans éducation, tandis que je tournais les pages : chaque poème occupait une place précise qui prouvait que Romy Landau avait en tête sa propre disparition, son propre trépas, quand elle écrivait. Ces élégies, ces incantations, elle se les destinait à elle-même.

Ce que j'avais d'abord pris pour une œuvre qui se préoccupait en surface d'un monde que j'avais immédiatement reconnu – les sentiers, la maison, la prairie et surtout la mer – révélait un esprit tortueux qui s'enfonçait dans les ténèbres d'un désespoir infini, terminal. L'horreur brute et stoïque des vers qui ouvraient un poème en particulier, « Démettre au monde », me frappa comme une masse.

Une matrice en attente
    de quoi ?
D'un enfant et
    de rien d'autre ;
une machine à procréer, toi,
      non.

Parvenu au bout du recueil en pleine nuit, j'ai fini par comprendre quel sort Romy avait connu. La réponse était sous mon nez depuis le début, dans la haine et la méfiance que Dulcie cultivait à l'égard de la mer et dans la guirlande de pureté. Pourtant ce n'est qu'au bout de la troisième, de la quatrième, de la cinquième lecture que j'ai trouvé la clef de l'énigme, moi, jeune gars plus habitué à arpenter les chemins, à travailler de ses mains ou à rêver aux aventures que la vie avait à lui offrir maintenant que le voile de la guerre était levé.

Une œuvre en particulier fit tomber mes œillères, cette pièce en vers qui figure à l'heure actuelle dans toutes les anthologies, qu'on enseigne à l'université, qu'on a mise en musique, lue à la radio, déclamée au théâtre et même gravée au burin sur une pierre commémorative qui se dresse derrière un sentier enfoncé au cœur de la forêt, à un jet de pierre de la frontière germano-autrichienne, mais qui, cette nuit-là, n'était encore qu'une composition qui se dissimulait au monde et se dévoilait à mon regard à moi, humble fils de mineur qui se tuait à la tâche :

Exeunt (ou *Les Chevaux blancs*)

Je quitte cette terre
et me livre à l'eau dorée.

Va-t-elle profond, je me le demande,
la chevelure du soleil

qui ondoie, hors d'atteinte de la scélérate
silhouette sur la plage scélérate

et qu'attend-elle
celle qui monte des chevaux blancs

puis glisse
dans les ténèbres ondoyantes

le long des récifs coralliens vers les longs doigts
des racines,
et les lits saumâtres

où se répondent des plaintes animales
comme un carillon

où tout est rouille, tout ombre,
et ossements mis à nu par le sel.

Un soleil qui se meurt, la rive qui s'éloigne.
Parfait reflux qui la reconduit chez elle.

Romy Landau s'était noyée.

VIII

Un crachin se mit à tomber au milieu de la nuit et persista jusqu'au petit matin, placide et tenace, comme une mitraille ininterrompue. Alors je suis resté à l'intérieur de la cabane une grande partie de la matinée, ce qui me permit d'examiner le parquet – et d'y trouver deux lames désolidarisées des autres, que j'ai remises en place grâce à quelques coups de marteau puis vernies afin de les protéger des parasites –, ensuite j'ai décloué du mur des plinthes qui montraient les premiers signes de pourrissement et je les ai remises en état. La pluie qui martelait le toit finit par se calmer. J'ai constaté, en regardant par le carreau, que Dulcie avait ouvert ses rideaux ainsi que la fenêtre de la cuisine, et le chien était roulé en boule au fond de la prairie, se prélassant dans les hautes herbes.

Dulcie agita la main en me voyant approcher.

« Quatorze heures, déclara-t-elle, de l'incrédulité dans la voix. J'ai dormi *quatorze* heures.

D'affilée. Je n'en reviens pas. As-tu mangé ? Ton estomac doit hurler à la mort.

— Je me suis cuit des œufs hier soir, j'espère que ça ne te dérange pas.

— Avec quoi ?

— Tout seuls. Des œufs durs.

— Ce qui me dérange, et beaucoup, c'est que ton dîner se soit résumé à des œufs et que tu continues à te nourrir comme si on était encore en guerre, sapristi. Mon jeune gaillard, ton organisme va morfler pendant des jours si je ne te sers pas un peu de bouillie d'avoine. Entre, entre donc. J'y ai ajouté une modeste dose de gelée de myrtilles et un ingrédient secret, très spécial et très personnel.

— Lequel ?

— À toi de le deviner. Cela fait partie du plaisir. »

J'ai retapé l'atelier étape par étape une semaine durant, puis une deuxième. À peine avais-je achevé une tâche qu'un autre problème se présentait. Les gouttières à remplacer. Un nouveau carreau de vitre. Et un autre. Une canalisation à déboucher, une conduite en céramique lézardée qu'il fallut déterrer et réparer.

Décaper, poncer, vernir.

Rafistoler et repeindre.

Pendant mes pauses, Dulcie, cuisinière débrouillarde qui savait agrémenter un choix limité d'ingrédients obtenus auprès d'amis haut placés, me régalait de plats de plus en plus copieux : tourtes somptueuses et pains

206

de viande, pâtes faites maison, bœuf bourguignon, clafoutis, curry, canard et oie rôtis, et quantité d'autres découvertes culinaires. Ma journée finie, lorsque la marée et le ciel le permettaient, je descendais piquer une tête dans la baie, trébuchant dans les remous et recrachant l'eau, afin de brûler cette nourriture riche en calories à laquelle je n'étais pas habitué.

Et, chaque soir, je cheminais lentement à travers les livres que Dulcie m'avait donnés à la lumière de la lampe, dans cette cabane qui grinçait au milieu de la prairie, désarçonné et abruti par certains, inspiré et galvanisé par d'autres.

Nous étions désormais au cœur de l'été et je sentais mon corps changer. Fluet et pâle le jour où j'avais pris la route, il s'étoffait, cherchait à adopter une nouvelle morphologie. Des muscles tendus comme des cordes couraient le long de mes bras, l'activité physique effaçait les bourrelets de l'adolescence au niveau des hanches et du ventre. Il n'y avait pas qu'au physique que je changeais : je me sentais plus capable, plus habile. Cette force semblait jaillir de l'intérieur. Porter des charges et fendre des bûches, en plus des bons petits plats de Dulcie et de ce soleil qui brillait sans discontinuer, tout cela avait fait merveille pour ma constitution, et mon teint avait pris la couleur du miel alors qu'auparavant il rappelait celle de la pâte fermentée.

Je portais aussi sur le monde un regard plus affûté.

Et j'avais les poignets et les avant-bras mouchetés d'éraflures et d'égratignures, de cicatrices, de piqûres et de cloques, chacune symbolisant le pénible labeur manuel, portée avec fierté comme une médaille récompensant un acte de bravoure hors du commun.

La baie commençait à s'animer.

Chaque jour j'ai regardé le cœur palpitant et brûlant de l'été attirer des vacanciers sur la plage et ces gens apportaient des seaux, des pelles, des sandwiches au jambon et à la purée de poix cassés emballés dans du papier, des œufs durs et des saucisses froides enrobées d'un givre de graisse grise et suintante, achetées grâce aux coupons de rationnement. Certains dépiautaient les œufs durs et débouchaient des bouteilles de soda tiède, d'autres s'étaient équipés de paravents, de ballons ou d'épuisettes qu'un rien cassait, fabriquées avec du filet de pêche noué au bout d'un manche à balai, et la plupart avaient des enfants qui, en moins de deux, viraient à l'écarlate, à demi cuits par le soleil implacable, alors qu'ils cavalaient en tous sens sur l'immense plage.

L'estran et ses rochers devinrent un lieu d'exploration inépuisable pour les minots pieds nus et débordant d'énergie venus des cités industrielles de Teesside et de l'ouest du Yorkshire – les gens du coin les appelaient les « piocheurs », tant ils aimaient creuser le sable – pendant que leurs mères disposaient le déjeuner sur une couverture, les chiens recrachaient de l'eau salée et les pères irascibles dormaient sous leur mouchoir ; ceux qui étaient revenus du front, en tout cas. Tout le monde se réjouissait d'être en vie, mais personne ne l'admettait à voix haute.

Sentir le sable humide entre ses orteils, cela suffisait.

Il y avait des filles, aussi. Des jeunes femmes, à peu près du même âge que moi. Maussades pour la plupart, créatures couleur de crème en maillot de bain et foulard, et en fleur, plus nombreuses que les hommes, disposant soigneusement leur serviette à bonne distance des parents, des frères et sœurs cadets, qu'elles reniaient d'un regard plein d'un mépris courroucé derrière les verres de leurs lunettes de soleil.

Chaque jour je les voyais, ces demoiselles, éparpillées aux quatre coins de la plage, certaines pataugeant dans les bas-fonds avec une amie, poussant des cris stridents face aux mâchoires de la froide mer du Nord, d'autres fumant des cigarettes seules, en se donnant des airs. Elles occupaient ce *no man's land* entre l'adolescence et l'âge adulte où s'affrontent le manque d'assurance et l'innocence, la joie et le cynisme désabusé, où l'on essaie différents masques et on voit lequel nous va le mieux. Au jeune gars débarqué de sa cambrousse dans le Nord industriel du pays, elles semblaient totalement hors d'atteinte.

Je les ai observées, riant ou faisant la moue, j'ai dévoré des yeux le galbe de leurs jambes, leurs hanches et leur chute de reins tandis qu'elles sautillaient, couraient, se balançaient et nageaient, reflétant dans leurs courbes celles que sculptaient la mer dans la falaise accrochée au littoral. Elles accaparèrent la plage des semaines durant.

Stupéfié par leur silhouette et par leur aplomb étudié, je n'arrivais pas à aller au-delà de la risette timide. Et même cela, à ma grande horreur, c'était souvent trop me demander, car mes zygomatiques se rebellaient à l'instant crucial et mes efforts se soldaient par une mimique empotée qui déformait mon visage cramoisi.

Celles qui me fusillaient des yeux pendant que je me séchais avec ma serviette après la baignade du soir ou, blessure plus cuisante encore, celles qui me regardaient sans me voir, c'étaient celles-là que je trouvais les plus belles, les plus ensorcelantes. Un coup d'œil méprisant pouvait me broyer l'âme et saccager ma journée quand la suggestion d'un sourire me donnait le tournis des heures entières.

L'une d'elles revenait souvent dans mes pensées. Une jeune fille aux cheveux bruns, plus âgée d'un an ou deux, la peau d'une blancheur de parchemin. Et d'une finesse telle que j'étais certain d'arriver à voir par transparence sa cartographie intime si elle me laissait l'approcher.

Je ne l'avais vue que deux fois, deux jours de suite, enfoncée jusqu'aux chevilles dans le sable au bord de l'eau, mais je lui rendais visite la nuit, dans mes rêves, concoctant des scénarios de plus en plus alambiqués qui débutaient par une conversation à cœur ouvert s'approchant du sublime et se concluaient sur une scène de sauvetage lorsqu'elle se faisait piquer par une méduse (même si de méduse, je n'en avais vu aucune) ou se retrouvait échouée sur un rocher et cernée par l'eau qui montait (j'avais vu trop de films avec Tyrone Power et Gary Cooper au foyer des mineurs le samedi matin).

Cela se finissait toujours de la même manière : la jeune femme anonyme m'embrassait d'abord sur la joue, ensuite sur la bouche, et alors nous nous laissions tomber dans le sable, éclaboussés par les embruns, et, et...

Et je sentais un désir soudain monter en moi, un besoin déchirant, celui au moins de savoir comment elle s'appelait.

Kathleen, peut-être, ou Angela, Jeanette, Dorothy. Voire un prénom plus exotique. Italienne, pourquoi pas, espagnole, française. Cécile, ou Carlotta. Bien entendu, dans ces saynètes fantasmatiques, il n'y avait sur la plage ni enfants brailleurs, ni crottes de chien en forme de macarons fumants, ni pique-niqueurs mâchonnant des œufs marinés, et ma bouche était capable de former un sourire correct, et je prononçais les mots qu'il fallait dans le bon ordre, et j'étais moi-même sans l'être vraiment, une version revue et corrigée.

C'était la toute première fois que je voyais les femmes à travers ce prisme. Au village, mon cercle féminin se limitait aux filles de mon école, que je connaissais pour la plupart depuis la naissance, ou sinon aux cousines éloignées et aux sœurs de mes camarades de classe, jetées au même endroit par la géographie et le hasard, et nous n'avions aucun secret les uns pour les autres, conséquence inévitable d'une enfance passée ensemble. Il était impossible de se réinventer pour ceux qui en avaient l'ambition, et exprimer son individualité, même sans tambour ni trompette, pouvait vous attirer les railleries des ricaneurs qui revendiquaient une sorte de droit de propriété sur votre existence. Il était rare que dévier un tant soit peu du cadre reçoive bon accueil. Bien au contraire. L'ordre des choses voulait que les jeunes gens se casent au plus tôt, vieillissent vite et se mettent sur leur trente-et-un le dimanche comme leur père avant eux.

La communauté comptait des femmes plus âgées, certaines fortes et héroïques, d'autres usées par l'angoisse ou l'indifférence d'époux cruels. Enfin, il y avait ces villageoises, on les comptait sur les doigts d'une main, qui d'après les rumeurs laissaient à la fenêtre des flacons de sauce HP pour signaler aux travailleurs qui passaient devant – conducteurs des haquets de brasserie, par exemple, ouvriers venus de bourgs ou de hameaux reculés – que monsieur n'était pas là, même si ces femmes semblaient n'exister que dans les ragots malveillants et les commérages d'arrière-boutique. Si cela se passait au vu et au su de tous, j'aurais pu m'en rendre compte mais, pour la plupart d'entre nous, la sexualité était un territoire inconnu, à peine exploré et jamais suggéré. Peu des femmes de ma connaissance avaient la cuisse légère ; les briques noircies par la suie, le ciel envahi de poussière de coke tourbillonnante et les champs alentour labourés de sillons parallèles, qui se confondaient, sans rien de bucolique, n'invitaient guère à la gaudriole, et l'heure n'était pas non plus au batifolage. Elles étaient encore moins nombreuses à dévoiler naturellement au monde entier les marques de naissance, taches de rousseur ou grains de beauté ornant leur magnifique peau affamée de soleil comme le faisaient les jeunes femmes sur la plage cet été-là.

Le moment venu, elles se décolleraient de leur serviette et rentreraient chez elles – elles retrouveraient leur poste à l'usine, qui sait, ou à l'école de dactylographie ; des pères tyranniques, des petits amis volages ou des fiancés beaux parleurs, et ensuite, peut-être, des maris à mourir d'ennui ; des heures mornes qui s'étirent derrière un bureau ou sur une chaîne de production ; des journées d'automne qui raccourcissent, de longues soirées d'hiver dans des dancings, des cafés aux vitrines embuées où s'attarde la puanteur du tabac

213

froid, de l'huile capillaire, des chicots pourrissants et des manteaux de laine humide. Et alors, d'ici cinq ou dix ans, certaines d'entre elles feraient des bébés, et l'étau de la vie domestique se refermerait sur elles avec une amertume grandissante vis-à-vis de toutes ces expériences jadis considérées comme agréables. Le rétrécissement de leur horizon. Certaines deviendraient leur propre mère et découvriraient un matin au réveil, frappées d'horreur, qu'elles ont épousé leur père. Pour la majorité des gens, la vie échappait à tout contrôle, mais, pour ma part, je m'étais déjà fixé pour objectif de ne pas me plier aux attentes trop limitées des autres. Tout ce que je souhaitais pour ces jeunes femmes, c'était qu'elles se sentent capables de faire de même.

Mais, pour le moment, l'été semblait s'étirer à l'infini et une sensation qui ne m'était pas familière remua en moi au cours de ces soirées tandis que je repliais ma serviette en lançant un coup d'œil furtif vers ces filles libres de la baie qui n'avaient qu'une idée en tête, s'étirer et bâiller, fumer et sourire ; voir et être vues.

Une faim, peut-être, d'un genre différent. L'éveil d'une émotion inédite.

Cette émotion, c'était le désir, et la virilité de mes jeunes années qui s'était logée en moi à la façon d'un parasite qui voulait du bien à l'organisme qui l'abritait. Ayant pris racine, il me modifiait lentement de l'intérieur et mon rôle se réduisait à celui d'hôte passif gouverné par des composés chimiques complexes tout au long de l'été. La situation me dépassait. Une alchimie étrange était à l'œuvre et il était impossible de revenir en arrière.

« Tu as écrit à ta mère ? » me lança Dulcie un après-midi où j'essayais une fois encore d'affûter le sécateur. L'herbe opiniâtre de la prairie assoiffée émoussait les lames à une vitesse record.

Le cœur percé d'une pointe de culpabilité j'ai réalisé qu'au cours de mes semaines d'errance, où les jours s'enchaînaient pour former une longue séquence ensoleillée rythmée par la tombée de la nuit qui venait conclure le labeur de la journée, l'idée d'envoyer une lettre à ma mère ne m'avait pas traversé l'esprit, et j'en ai fait l'aveu.

« Alors, elle ne risque pas de s'inquiéter ? » poursuivit Dulcie.

Cela ne m'avait pas effleuré non plus. « Je suis certain qu'elle va bien. Elle doit être très occupée.

— Et je suis certaine qu'elle ne dormira pas sur ses deux oreilles tant qu'elle n'aura pas reçu un signe de ta part.

— Tu crois ?

— J'en suis convaincue. »

J'ai froncé les sourcils.

« J'ai du papier à lettres de première qualité, enchaîna Dulcie. Je t'invite à t'en servir. »

Ce soir-là, à la lumière de la lampe, le chien allongé à côté de moi sur ma couverture, j'ai mis de côté mon livre et, le dos calé à l'oreiller, j'ai rédigé une courte lettre à ma mère sur un épais papier, aussi granuleux et ocellé qu'une coquille d'œuf.

Chère Maman

J'espère que vous allez bien, toi et Papa. Je t'écris d'une cabane nichée dans une prairie du Yorkshire, avec vue sur la mer. Il fait chaud et sec, j'y suis très bien.

Cette cabane appartient à une dame qui répond au nom de Dulcie et chez qui je fais de menus travaux. Dulcie est grande. Elle dépasse tous les hommes que je connais, sauf Jack Barclay, peut-être, même si elle a toujours ses dents de devant et qu'elle ne mange pas de vers de terre, contrairement à Jackie le Mastoc.

À vrai dire, elle mange beaucoup et pourtant elle n'est pas grosse. Elle me fait penser à un chat tout en longueur et elle ne ressemble à personne du village, ou d'ailleurs. Elle cuisine bien, mais pas aussi bien que toi.

On a très beau temps ici, j'espère que chez vous aussi. J'imagine que le potager a soif et que les panais de Papa sont au bout du rouleau. Est-ce que les pigeons volent avec cette chaleur ? Je suis aussi brun qu'un fruit sauvage, je nage tous les jours et je lis beaucoup de livres. Je visite l'Angleterre, ou une jolie région en tout cas.

J'ai dans l'idée de rentrer au moment de l'annonce des résultats aux examens, même si j'ai complètement oublié la date, donc si je ne suis pas de retour à temps, ça t'ennuierait d'aller les chercher à ma place et de me les envoyer ? Je t'enverrai mon adresse quand j'en aurai une, si j'en ai une un jour.

Avec toute mon affection,

Robert

PS : Dulcie a un chien qui a l'air méchant comme ça mais qui est adorable en réalité. Il s'appelle Majordome parce qu'il croit que son travail, c'est de faire le maître d'hôtel. Justement, il est assis à côté de moi. C'est le deuxième ami que je me suis fait cet été.

Un jour, autour d'un déjeuner pris très tôt – omelette à l'oseille accompagnée d'une salade et de frites de betterave –, Dulcie me demanda à brûle-pourpoint : « Alors, tu as lu celui qui parle des chevaux blancs ? »

Il me fallut quelques secondes pour comprendre qu'elle reprenait le fil de la discussion interrompue une quinzaine de jours auparavant.

« Oui.

— Tu as oublié d'être bête, gamin. »

Pour seule réponse, j'ai piqué un léger fard.

« Donc tu sais, enchaîna Dulcie.

— Je sais quoi ? »

Elle braqua sur moi un regard assez sévère.

« Tu sais à présent quel sort elle a connu. Ou tu devrais savoir, si ton cerveau fonctionnait correctement, rien qu'un lobe sur deux. »

J'ai hésité avant de répondre.

« Est-ce que…

— Oui ?

— Est-ce qu'elle…

— Vas-y, me coupa Dulcie, comme si elle voulait étouffer toute tentative de réponse.

— Est-ce que Romy s'est noyée ? »

Elle détourna le regard, observa la mer puis revint sur moi.

« À ton avis, c'est ce qui s'est passé ? »

J'ai hésité à nouveau.

« Oui. Je crois que c'est de ça que parle "Les Chevaux blancs". »

Dulcie fronça les sourcils.

« Eh bien, tu ne te trompes pas.

— Désolé. Je suis désolé de ne pas me tromper, vraiment.

— Et le poème, qu'en as-tu pensé ?

— Je n'ai jamais lu quelque chose d'aussi triste. Mais… » Les mots se matérialisèrent devant mes yeux, j'ai tendu la main pour les attraper. « Et d'aussi beau, étrangement. »

Dulcie hocha la tête, cela dura un bon moment.

« Elle est partie au large. »

Le repas se poursuivit en silence.

« Et toi, Dulcie, tu as lu les poèmes ? » ai-je demandé une fois les assiettes vides. « Tu as lu *Au large* ? Tu n'as jamais été claire là-dessus.

218

— Et pour quelle raison serais-je claire sur le sujet ? »

Je me suis mis à bafouiller, mais Dulcie continua.

« C'est le legs de Romy, expliqua-t-elle.

— Je ne sais pas ce que ça veut dire, "legs".

— Elle l'a laissé derrière elle, ici, dans cet atelier où elle travaillait. Elle l'a posé sur le bureau, bien en évidence, avant de descendre la colline et de pénétrer dans l'eau, et c'est la dernière fois qu'on l'a vue. Elle avait mis un poème de côté. "Les Chevaux blancs". Je l'ai lu une semaine plus tard, et ensuite j'ai tout rangé dans une vieille valise et je n'y ai plus touché. Je souffrais tellement qu'il n'y avait pas de place pour la colère. Donc non, je ne l'ai pas lu. Et maintenant tu sais tout.

— Elle avait l'intention de se tuer ? »

J'ai éprouvé un malaise en prononçant ces simples mots, comme si j'avais enfreint un pacte. *Se tuer*. Dulcie laissa s'écouler quelques secondes et j'ai immédiatement regretté d'avoir posé cette question. J'aurais aimé pouvoir la ravaler. Son silence dura une éternité.

« Elle avait l'intention de devenir immortelle, finit-elle par répondre. Mais pour atteindre l'immortalité, il faut mourir. Et pour mourir comme elle est morte, il faut se détacher de ce qu'on sait, et de ce qu'on aime. »

Le besoin d'assouvir ma curiosité me traversa à la façon d'une pulsion impossible à brider et eut raison de mes scrupules.

« D'où vient le titre du poème, "Les Chevaux blancs" ?

— Un symbole marin, là encore. Une image récurrente, éternellement gravée sur ma rétine. Les chevaux blancs, cela désigne les vagues qui se brisent sur la plage. La crinière, c'est l'écume, et le bruit des sabots qui martèlent l'herbe, c'est le fracas des vagues, forcément.

— Je n'ai pas compris non plus ce que veut dire "exeunt".

— Ah, eh bien, "exeunt", c'est un terme emprunté au théâtre. À Shakespeare. On s'en sert pour indiquer qu'un personnage quitte la scène. On rencontre plus couramment le singulier, "exit", mais le pluriel marche aussi, en latin. À présent, tu es en mesure d'assembler les pièces du puzzle. »

J'ai réfléchi une bonne minute.

« "Exeunt (ou *Les Chevaux blancs*)" était l'adieu de Romy avant sa noyade ?

— Je l'ai dit, tu as oublié d'être bête.

— C'est une très belle façon de quitter ce monde.

— Elle était poète. Il m'arrive de penser qu'elle était peut-être la première moderniste pur sucre. Celle qui aurait pu ouvrir la porte à ce qui adviendrait. Elle avait à sa portée un avenir neuf et audacieux, j'en suis convaincue.

— Dommage que le monde n'ait jamais eu l'occasion d'entendre son adieu. »

Dulcie fit la moue, détourna le regard et but une gorgée de thé.

« Je n'en ai jamais eu l'occasion non plus.

— Elle a laissé une lettre ? »

Dulcie fit non de la tête. « Ou si elle en a laissé une, elle l'a bien cachée. Crois-moi, j'ai fouillé toutes les poches de ses habits, passé ses affaires au peigne fin. J'ai remué ciel et terre. Elle n'a rien laissé en dehors des poèmes et un grand vide dans la vie de nombreuses personnes. Je t'assure, Robert, le silence qui a suivi a été un pur cauchemar. Cette brutalité, ce caractère irrévocable qui laisse totalement impuissant, personne ne devrait avoir à les subir. Pas d'au revoir ; rien. Des années de néant. »

J'ai chassé d'un revers de la main une mouche obstinée qui voulait se poser sur mon bras.

« Elle avait l'angoisse de la page blanche ?

— Juste ciel, non. Certainement pas. Bien au contraire. En réalité, elle souffrait du syndrome du... du déferlement créatif. En un sens, cela peut être tout aussi destructeur, car il est difficile de juger sans parti pris de la qualité d'une œuvre quand elle jaillit de soi à gros bouillons ; on se retrouve simplement prisonnier de la folie ambiante. Car il s'agissait bien de folie.

— Je peux te poser une autre question ?

— Inutile de me demander la permission. Robert. Passe cette étape à l'avenir. On va bientôt mourir de toute façon.

— Romy t'appelle la "fileuse de miel", ça vient d'où ?

221

— À l'époque je nourrissais une passion pour l'apiculture, entre autres activités.

— Ici ?

— Oui, ici. Jusqu'au jour où j'ai dit stop. J'avais beau en donner à droite et à gauche, il y avait toujours trop de miel par rapport à ce que peuvent consommer une vieille taupe et son chien. On fait tourner les rayons pour extraire le miel sous sa forme liquide. "Fileuse de miel", c'est le surnom qu'elle m'avait donné. L'un de mes surnoms, en tout cas. »

Nous sommes restés longtemps sans parler et, après une interminable hésitation, j'ai posé une dernière question à Dulcie.

« Tu as déjà envisagé de faire publier *Au large* ? »

Elle poussa un soupir puis regarda la mer scintillante, les yeux mi-clos, sans rien dire.

« Peut-être que c'est trop douloureux pour toi de le lire », ai-je risqué.

Là-dessus, elle se retourna et me répondit, de l'agressivité dans la voix : « Ton problème, c'est que tu es drôlement malin, pour quelqu'un d'aussi modeste.

— Désolé. Je n'y connais rien en poésie. Mais les poèmes m'ont beaucoup plu et je me suis dit qu'ils pourraient plaire à d'autres.

— Ne recommence pas à jouer au petit gars simplet sorti de sa pampa et quasi analphabète. »

Dulcie se reprit. Se redressa. Ajusta son chapeau.

« Non, c'est moi qui suis désolée, Robert. Ne prends pas mes piques pour des attaques personnelles. Et arrête de te rabaisser. Le fait est que les poèmes de Romy t'ont touché, par conséquent ton opinion est aussi valable que celle des autres. En fait, tu as exactement le profil du lecteur auquel elle s'adressait. Les critiques, elle s'en souciait comme d'une guigne. Ou l'élite intellectuelle. Elle venait d'une famille d'ouvriers, elle aussi, et elle voulait simplement trouver son public. Du coup, elle serait ravie d'entendre tes compliments, absolument ravie.

— Tu n'as pas été tentée de lire le recueil, malgré tout ?

— Chaque jour qui passe.

— Mais tu n'as jamais cédé à la tentation.

— Je pensais t'avoir répondu de manière claire et définitive.

— Je peux te demander pourquoi ?

— Je pensais avoir été claire sur ce sujet aussi. »

Dulcie soupira lorsqu'elle vit que je ne comprenais pas comment le manuscrit – qui contenait peut-être la réponse à ses interrogations – avait pu prendre la poussière des années durant.

« Est-ce que tu as peur des fantômes ? » me demanda-t-elle.

J'ai fait non de la tête. « Les fantômes, je n'y crois pas.

— Ce n'est pas la question que j'ai posée. »

Désarçonné, j'ai de nouveau secoué la tête.

« Nous avons tous peur de nous retrouver, aux petites heures du jour, face à la personne que nous étions par le passé, déclara Dulcie. Car les fantômes, ce sont les vérités brutes que nous refusons de regarder, la voix de ceux que nous avons abandonnés. Nous portons au-dedans nos propres fantômes, nous nous hantons nous-mêmes. Lire ces poèmes, ce serait réveiller les morts, et je ne me sens pas tout à fait prête. Je n'en dirai pas plus.

— Mais je ne suis sûrement pas le seul que les poèmes de Romy prendraient aux tripes. »

Mettant un point final à notre échange, Dulcie se tut et s'absorba dans ses pensées, le visage soucieux, mais, soudain, elle se dérida et son ton changea radicalement.

« Écoute, je viens d'avoir une idée fantastique. Tu trimes comme un sherpa pour retaper cet atelier et, pour ma part, j'ai l'impression de tourner comme un lion en cage. Cette conversation m'a foutu le cafard, alors ça te dirait de faire rugir le moteur d'une de mes automobiles et de partir en virée par ce beau dimanche ? Et tant pis si nous ne sommes pas dimanche, n'importe quel jour de la semaine, ça marche aussi.

— Qu'est-ce que tu entends par "l'une de mes automobiles" ?

— L'une de mes voitures, pardi.

— Tu as une voiture ?

— Plusieurs, même. »

Voilà qui me prit de court. En dehors des véhicules agricoles que j'avais pu croiser sur mon chemin, jamais encore je n'avais rencontré de particulier qui utilisait une automobile dans le cadre de ses loisirs, encore moins plusieurs. Dans ma tête, un véhicule à moteur, c'était forcément un tracteur énorme et malpropre – un mastodonte boueux qui toussait et grommelait – et si un jour on m'avait dit que je connaîtrais la propriétaire d'une automobile… La voiture, c'était un truc de riches.

« D'où elles sortent ?

— Comment ça, *d'où elles sortent* ? Je les ai achetées.

— Toutes en même temps ?

— Ces questions que tu poses. Bien sûr que non. »

J'ai cru une fraction de seconde que Dulcie se payait ma tête. J'ai balayé la prairie du regard.

« Mais tu les gardes où ?

— Eh bien. » Un temps d'arrêt. « Il y en a une dans un parking souterrain aux confins de Chelsea, une autre tenue au chaud par un ami cher à mon cœur qui la conduit sur les petites routes d'un village portant le nom improbable d'Upper Slaughter, dans la région des Cotswolds, et enfin deux – non, attends, trois – dans une grange sur l'exploitation de Francis Storm.

— Qui se trouve où ? »

Dulcie montra une zone derrière elle. « Sur la colline, pas loin. La grosse ferme tout en haut des terres, c'est celle de Frank. Tu es forcément passé devant quand tu es monté jusqu'ici. Une minute, je reviens. »

Elle alla fouiller dans un tiroir et revint avec un gros trousseau de clefs.

« Prenons la Citroën. Il va falloir que tu ailles la chercher, j'en ai bien peur. Celle qui est couleur aubergine talée. En tout cas, elle était de cette couleur la dernière fois que je l'ai vue. L'une de ces clefs devrait la faire démarrer.

— Ça ne va pas déranger le fermier ?

— Le déranger ? C'est ma foutue voiture et je lui verse un coquet loyer qu'il dépense en pâtée pour cochons et en bottes de caoutchouc, alors ne t'inquiète pas pour lui.

— Mais s'il s'imagine que je suis venu voler la voiture et qu'il me tire dessus ?

— Tu as la clef, non ?

— Et s'il s'imagine que je t'ai cambriolée et j'ai pris la clef chez toi ?

— Pas toi. Tu es un bon gamin.

— Ça, il n'en sait rien.

— J'admire la fertilité de ton imagination mais Frank Storm s'en tamponne le coquillard. Fais-moi confiance. Sa ferme est sur les hauteurs. Impossible de la rater – guide-toi à l'odeur et, sur place, dirige-toi vers le fond, là où se trouvent les granges. La Citroën est dans celle de gauche, je crois. Par une belle journée comme celle-ci, Frank sera occupé dehors : il est propriétaire des trois quarts des terres qui vont d'ici à Whitby. Prends Jojo si tu as des doutes. Il se portera garant.

— Il y a un petit problème, Dulcie. »

Elle soupira. « Oui ?

— Je ne sais pas conduire.

— Tu ne sais pas conduire ? Cela n'a aucune espèce d'importance.

— Mais je n'ai jamais tenu un volant de ma vie.

— Tu crois qu'ils sont plus calés que toi, les autres conducteurs ?

— Quand même, oui.

— Robert, franchement. Il n'y a que deux cents yards à couvrir, en descente. Débloque le frein à main et laisse titine prendre de l'élan, elle roulera toute seule. Tu vas te débrouiller comme un as. Tu n'auras qu'à négocier deux ou trois virages et klaxonner de temps en temps. Oh, et appuyer sur le frein le cas échéant.

— C'est quelle pédale, le frein ?

— Celle de droite. Non, celle du milieu. Oh, tu trouveras bien. Tu ne croiseras personne de toute façon. » Dulcie perçut mon hésitation. « La trouille ?

— Non, ai-je répondu sur un ton de défi, pas peur du tout.

— Bien. Va chercher la Citroën pendant que je nous prépare le pique-nique. Dix minutes, cela me laisse largement le temps de faire une salade de chou pour accompagner les pilons de poulet que j'ai grillés hier soir. Du beau boulot, par ailleurs. Et je vais aussi nous choisir une bonne petite bouteille. En fonction de ce que je peux piocher dans mes stocks qui diminuent. Et n'oublie pas de prendre le chien

227

avec toi – il est doué pour tenir le gouvernail. Il te filera un coup de patte. »

L'automobile a fait un bond quand j'ai mis le contact. À croire que des lapins s'étaient installés sous le capot. Elle a toussé une fois, puis une autre, avant de revenir à la vie avec un crachotement rouillé. Bien qu'objet de désir et merveille mécanique, la Citroën de Dulcie montrait des signes évidents de négligence : taches d'oxydation mouchetant ses flancs aux lignes pures, patine d'algues prenant lentement d'assaut le joint en caoutchouc des vitres au niveau des portières. Le lustre de la carrosserie était couturé d'éraflures et de rayures, une araignée avait tissé sa toile dans un coin du pare-brise.

Un magnifique tableau de bord se déployait sous mes yeux.

Comme je savais qu'une automobile était actionnée par un système d'embrayage, j'ai poussé, en forçant un peu dessus, le levier de vitesses pour passer en première, ce qui produisit un grincement guttural, avant d'appuyer au petit bonheur sur les pédales, le temps de découvrir qu'en poussant sur l'une tout en relâchant l'autre, le véhicule avançait par à-coups. À un moment le moteur s'est tu. Le capot sortait du hangar d'une dizaine de centimètres.

J'ai remis le contact et repris ma progression graduelle, avec plus de fluidité cette fois, les pneus durs et froids écrasant le gravier réchauffé par le soleil, puis j'ai braqué l'immense volant pour piloter cette masse de métal et de cuir à travers la cour de Frank Storm.

Je conduisais, *tout doucement*.

Mais je conduisais, c'était indéniable.

Tandis que je m'enfonçais dans les mottes de gazon, les mains cramponnées au volant, j'ai ouvert la vitre d'une poussée du coude. Un chat grassouillet aux yeux verts jaillit d'un hangar voisin et chemina quelques instants à côté de la voiture, mais il se lassa très vite de ce petit manège, me dépassa puis me coupa la route.

« J'ai pas pris une seule leçon ! » ai-je crié dans sa direction. Il se retourna brièvement et me foudroya d'un regard dédaigneux, la marque de fabrique du chat qui partage sa vie entre la ferme et le grand air. « Pas une seule ! » ai-je insisté.

L'automobile a quitté la cour et je me suis engagé sur la route avant de laisser la gravité prendre le relais. Dulcie m'avait prévenu : la pente était assez raide et même en première je roulais déjà à vive allure. Finalement, cette voiture se conduisait facilement. Oui, c'était aussi facile que de lécher du coulis de framboise sur une boule de glace. La main pendue par la vitre, j'ai senti la brise me caresser les doigts.

C'était une sensation de liberté totale, sans la moindre entrave. Un animal traversa la chaussée au pas de course, petit et brun, déboulant d'un talus pour se cacher dans celui d'en face.

Au ras du sol, mais vif comme l'éclair – une hermine, une fouine, impossible à dire. Quelle différence ? J'ai freiné à fond, du moins, j'ai cru que je freinais. Au lieu de ralentir la voiture fit une embardée, grondant comme un chien endormi qu'on agace avec un bâton, et un rugissement plus fort, impérieux, vit les aiguilles de plusieurs cadrans tressaillir à l'unisson. Pris de panique, j'ai surcompensé, tournant le volant d'un côté puis de l'autre pour chevaucher brièvement le rebord herbeux où, durant une longue, une interminable seconde, j'ai bien cru que j'allais partir en tête-à-queue. J'ai réussi, Dieu seul sait comment, à rectifier ma trajectoire et la route s'est ouverte devant moi avec ses lacets et ses virages serrés que je négociais aisément. Je me laissais porter à présent, les vieilles haies imposantes défilant derrière la vitre, les brèches m'offrant des aperçus fugaces sur les champs qui s'étiraient au-delà, jusqu'au moment où le cul-de-sac de Dulcie surgit sur ma gauche, m'obligeant à virer en catastrophe. J'ai braqué à fond et je m'y suis engagé sans ralentir.

Le bitume céda la place à une piste en terre criblée de nids-de-poule et de flaques asséchées. Je me suis penché sur le côté tandis que la voiture chassait, soulevant dans son sillage un tourbillon de poussière, et j'ai rebondi lourdement sur mon siège. La toile d'araignée a vibré et la boîte à gants s'est ouverte, éparpillant son contenu sur le plancher : paquets de cigarettes vides, gants, bouteille d'alcool entamée. J'ai giflé le volant de mes paumes brûlantes, euphorique. Le bout de l'allée et la prairie se rapprochaient à toute vitesse et j'ai appuyé sur une pédale, sans résultat. J'en ai essayé une autre et le véhicule accéléra. Puis une troisième, avec l'énergie du désespoir, et l'automobile s'arrêta net devant la maison à l'instant précis où Dulcie sortait par la porte de derrière, très tranquillement, vêtue d'une cape dont la couleur était identique au vert forêt des voitures de course britanniques, et dont l'ourlet frôlait la poussière qui retombait. Une grande épingle ornée d'un motif évoquant l'œil d'une plume de paon rattachait les pans au niveau de la poitrine.

J'avais calé, une fois encore. Le moteur ne répondait plus.

« Ah, fit Dulcie. Excellent. »

J'étais toujours en première.

Majordome et le panier en osier solidement arrimés à l'arrière, Dulcie roula au pas – plus vite que moi, cependant – sur l'unique route en déclive qui s'enfonçait dans l'arrière-pays, à l'écart de la baie. Les vitres étaient baissées afin d'aérer l'habitacle et d'en chasser les remugles de moisissure.

« Cap sur la plaine, le temps que je retrouve mes repères, déclara Dulcie tout en testant commandes et leviers, voûtée au-dessus du volant. Bon, je suis myope comme une taupe, voire pire, donc ce que je te demande, Robert, c'est de crier dès que tu me vois dévier de la route. Crie un bon coup. Compris ? »

Nous avons émergé de la cuvette et, à l'instant où nous avons atteint le point culminant de la route, sans prévenir, Dulcie accéléra brusquement, si bien que j'ai senti l'omelette remonter dans mon estomac.

« Je retrouve la main, hurla-t-elle pour couvrir le rugissement du moteur et du vent, accélérant toujours. J'ai bien envie de voir la lande fleurie en plein été. »

La route s'aplanit et nous fit traverser, sur des kilomètres, cette lande qui se déployait aux quatre points cardinaux, l'automobile ballottée par les ornières et les nids-de-poule. Le chien sortit sa tête par la vitre, oreilles et langue claquant au vent, babines retroussées en un semblant de sourire.

« C'est une Citroën Traction Avant, beugla Dulcie, les Français l'ont surnommée la *Reine de la Route*. Ça me plaît, ça.

— Elle a combien d'années ?

— C'est l'un des premiers modèles à être sortis de l'usine – 1934.

— Tu connaissais Romy à l'époque.

— Depuis quelques heures seulement. Tu me croirais si je disais que nous nous sommes rencontrées ce jour-là et qu'elle m'a aidée à choisir cette voiture ? C'est la vérité. Nous avions un coup dans le nez, et elle savait se montrer très persuasive. Le vendeur n'en a pas cru sa chance. C'était sa première vente et il était tellement heureux qu'il m'a donné en cadeau des gants de conduite et une bouteille d'ersatz de champagne, qui avait un goût de pisse de cheval mais qu'on avait quand même fini le temps d'arriver à la maison. »

À un endroit la route dessinait une fourche et, à la dernière seconde, Dulcie prit brusquement sur la droite, la force centrifuge entraînant tout ce qui n'était pas attaché.

Peu de temps après, nous avons fait notre entrée dans le village de Grosmont mais Dulcie n'a pas ralenti pour autant, pas le moins du monde, et nous avons traversé la place centrale à tombeau ouvert avec un coup de klaxon qui en perturba la tranquillité. Un monsieur sortit du bureau de poste pour nous regarder, bouleversé, comme si c'était un Panzer qui déboulait dans son village et non une Citroën aux lignes pures, maculée de boue, conduite par une géante qui agitait la main et poussait des cris de joie et, à la place du passager, un chien aux anges qui laissait derrière lui une traînée de bave.

Au bout d'un moment, et par deux fois, Dulcie m'a montré en s'époumonant un détail du paysage, mais ses paroles se sont noyées dans le bruit du mouvement et, même si je redoutais un peu qu'elle nous envoie dans le décor, j'ai essayé de ne rien trahir de mon appréhension. L'odeur de l'essence me montait au nez tandis que nous nous enfoncions dans l'épaisse forêt où les sapins menaçants nous écrasaient de leur hauteur. Entre les troncs semblables à des colonnes, j'ai aperçu des clairières fraîches et sèches jonchées d'aiguilles mortes, un tapis éclairé par le soleil, et, de temps à autre, des branches s'écartaient pour laisser furtivement apparaître des panneaux routiers qui signalaient l'accès à des hameaux où vivaient et travaillaient les forestiers.

Nous sommes sortis de la forêt et une route secondaire nous a conduit jusqu'à un bourg très animé, car c'était jour de marché, et Dulcie fut contrainte de lever le pied. Recroquevillée sur le volant, elle hurla de façon à se faire entendre de tous : « Pickering : repaire de vieux croûtons sans intérêt, ne casse pas trois pattes à un canard », puis elle relança la voiture avec une accélération si brutale que plusieurs véhicules durent se ranger ou ralentir pour nous laisser passer, les conducteurs brandissant un poing rageur en guise de protestation.

Les panneaux se succédèrent.

Kirby Misperton. Amotherby.

Scagglethorpe. Brawby.

Nous avons contourné la petite ville de Malton et, quelques minutes plus tard, Dulcie a ralenti, pris à droite et s'est engagée sur une trajectoire rectiligne qui coupait comme un ruban une immense propriété privée. Passant sous la voûte d'un portail ouvragé, nous avons suivi la route jusqu'à un obélisque, peut-être le plus haut de Grande-Bretagne, qui se dressait sur un rond-point, avant d'arriver devant un magnifique palais de pierre coiffé d'une coupole et flanqué de plusieurs ailes, un parc clos, et des arpents de pelouse verte qui se déroulaient jusqu'à un lac.

« Fichtre, fit Dulcie. Pas mal, la baraque. »

Partout où se posait mon regard, j'apercevais un faste et une splendeur architecturale qui avaient pour but de susciter le respect et l'admiration chez l'observateur. J'ai dû revoir mon sens de la perspective.

« Qu'est-ce que c'est que cet endroit ?

— Le château Howard, domicile de la famille Howard depuis 1699, l'année où les fondations ont été creusées, même s'il est bien sûr présomptueux d'appeler cela un château quand il s'agit, ni plus ni moins, d'un très gros manoir – cela étant, reconnaissons-le, nous avons là une construction ambitieuse qui combine différentes écoles : un peu de baroque par ci, une pointe de palladianisme par là.

— Il y a des gens qui vivent là-dedans ?

— Tout à fait.

— Dans une maison aussi grande ?

— Dans une maison aussi grande. »

Dulcie quitta l'allée principale et nous conduisit en plein sur la pelouse qui s'étirait à perte de vue. Elle coupa le contact et sortit de l'automobile. Jojo la suivit d'un bond.

« L'endroit idéal pour un casse-croûte, à mon avis. »

Je suis sorti à mon tour et j'ai découvert les traces laissées par les pneus dans l'herbe parfaitement entretenue.

« Tu connais les propriétaires ? ai-je demandé.

— Non. Je devrais ?

— Ça risque de leur faire un peu bizarre de trouver des inconnus installés dans leur jardin.

— Comme le jour où tu t'es invité dans mon jardin, c'est ça ? » rétorqua Dulcie.

Coincé. À cela, je n'avais rien à répondre.

« Allez, viens m'aider, » me dit-elle en se débarrassant de sa cape avant de déplier une nappe de pique-nique à carreaux.

Dulcie conduisit plus posément sur le trajet du retour. Le liquide dont elle avalait de petites gorgées au goulot d'une flasque et qui colorait ses dents en rouge foncé, associé au repas et à l'excitation de l'aller, la rendait léthargique tandis que l'automobile nous conduisait cette fois-ci vers l'est, laissant derrière nous les collines du château Howard.

Nous avons contourné Malton dans le sens inverse et emprunté la route de Scarborough qui traversait la vallée de Pickering sur des kilomètres et des kilomètres, longeant des paysages champêtres dont les vastes étendues se ponctuaient d'innombrables villages qui se scindaient pour la plupart entre est et ouest, ou entre haut et bas, domiciles de familles qui depuis des générations n'avaient presque pas mis le pied à l'extérieur de leur communauté, où il n'y avait point de salut économique hors de l'agriculture. D'autres lieux gardaient la trace des cultures passées – des colonies vikings établies lors de razzias : Staxton, Flixton – et cette histoire s'alliait au langage de la terre pour tisser une narration parcourant les époques et les conquêtes. Toutefois, ici, pour ceux qui labouraient, bêchaient et récoltaient les fruits de leur travail à la fin de l'été, cela faisait des siècles que la vie était restée peu ou prou inchangée, ils menaient une existence simple, liée au cycle des saisons.

Autour de nous, la guerre avait laissé des séquelles et le mode de vie rural se modifiait en profondeur. Le rationnement avait suscité un appétit qui s'avérait insatiable, les fermes étaient rachetées et les terrains reconfigurés dans un objectif de production de masse. C'était la faim que tous craignaient à présent. L'époque où chaque exploitation comptait un seul bœuf et une seule charrue, comme mon père me l'avait raconté, était révolue depuis longtemps.

Nous avons parcouru les faubourgs de Scarborough, la Citroën se déplaçant avec majesté dans des rues parallèles bordées de grandes maisons qui proposaient des chambres aux touristes, et après quelques aperçus fugaces de la mer en début de soirée, nous nous sommes à nouveau enfoncés dans les terres pour regagner la lande, car personne n'avait jugé bon d'aménager une route sur cette étendue sauvage de littoral, aussi vieille que le monde, qui débouchait sur un bassin naturel dont l'attrait tenait à sa situation isolée, accessible uniquement à ceux qui avaient des cuisses robustes, un bateau puissant ou une curiosité vorace.

Plus nous nous rapprochions de notre destination et plus Dulcie s'affaissait sur le volant. Par deux fois je me suis mis à parler d'une voix forte pour l'empêcher de s'endormir et, à chaque fois, elle tourna la tête et m'étudia comme si elle avait du mal à me remettre, désorientée, le regard voilé, donnant l'impression d'avoir été écartée du précipice d'un profond sommeil.

Elle était peu loquace. Tout dans son attitude indiquait l'abattement.

Jojo aussi flaira ce changement et, au moment où nous nous sommes engagés sur le chemin étroit et inégal qui menait à la maison, il était en train de lui léchouiller le lobe de l'oreille depuis la banquette arrière. Dulcie se gara n'importe comment, nous planta là, le chien et moi, et rentra chez elle, la mine renfrognée, sans un mot.

IX

Je ne suis pas descendu nager ce soir-là. J'ai préféré la compagnie des sonnets de John Clare. De tous les poètes auxquels Dulcie m'avait initié, c'était avec lui que je me sentais le plus en affinités. Une partie de son œuvre – où il relatait ses déambulations dans l'Angleterre des champs et des chemins, contemplant les saisons et travaillant, en quête de liberté – me faisait l'effet d'un miroir qui reflétait ma propre vie. Je n'avais jusqu'alors pas pris conscience qu'il existait des écrivains pareils, qui plongeaient les mains dans la terre et consignaient ce qu'ils voyaient et éprouvaient, ce qu'ils sentaient et ce que leurs cinq sens leur suggéraient.

Avant cet été, je considérais la poésie comme un code secret parlé exclusivement par les gens de la haute, aussi énigmatique que ces citations en latin dont ils aimaient tant émailler leur conversation. Un moyen supplémentaire de tenir le prolétariat à sa place, un monde dont les petites gens étaient exclues, des vies qui nous resteraient à jamais inconnues. La poésie comme façon de compliquer les choses simples.

Et voilà que cet univers impénétrable s'ouvrait à moi un peu plus chaque soir grâce aux poèmes lus dans l'atelier, et nulle part plus que dans les vers de John Clare, ouvrier agricole et prophète de la terre, composés plus d'un siècle en arrière. La puissance des sentiments qu'il exprimait m'écrasait presque et un poème exerçait sur moi une fascination toute particulière, « La Clef des champs », épopée miniature qui trouvait en moi un écho profond et que je tentais de graver dans ma mémoire par blocs entiers. La manifestation enfiévrée de l'exploration en rimes d'un univers en réduction – les pistes des lapins et les taupinières, les haies d'aubépine et les vergers, les rossignols et les échaliers de guingois – me renvoyait ma propre expérience. John Clare était un nouvel ami et un confident, un guide spirituel et une voix qui me réconfortait dans la pénombre de cette cabane qui craquait de partout, éclairée à la lampe.

Et pourtant, chaque soir, je pensais aux filles de la plage. Même si j'avais abattu de la besogne ce jour-là, même si j'étais descendu nager, elles m'obnubilaient à tel point que j'en faisais des insomnies.

Tout tourbillonnait sous mon crâne, mon sang crépitait, explosait et martelait mes tympans tandis qu'allongé, je pensais à leurs cuisses et à leur ventre plat. À l'arrière de leurs genoux, à leurs narines, aux replis de leurs coudes.

J'aurais voulu connaître l'odeur de leurs cheveux quand ils étaient mouillés, la fréquence à laquelle elles se coupaient les ongles des orteils. Savoir si elles mettaient du sucre dans leur thé, de quoi avaient l'air leurs aisselles, comment elles marchaient sur le sable mouillé, si elles avaient déjà mangé du homard, si elles collectionnaient les fossiles, si elles se teignaient les cheveux ou lisaient John Clare.

Je me demandais aussi quelles pensées les empêchaient de fermer l'œil la nuit.

Cette obsession vis-à-vis des jeunes filles de la baie me souffla l'idée de prendre la plume à mon tour et de composer des poèmes qui leur seraient dédiés et que je laisserais, pliés, dans les anfractuosités des rochers, à la merci de la marée, l'encre se détachant du papier, le papier se désagrégeant lentement, cette bouillie rejoignant la matière qui se décomposait dans le grand magma gris ardoise, et alors – et alors seulement – je puiserais en moi le courage d'avouer qu'elles étaient le sujet d'admirables poésies mais, si elles souhaitaient les lire, encore faudrait-il qu'elles apprennent à lire la mer. À ce moment, touchées par ces paroles, sensibles à la pureté de mes intentions et au romantisme de mon geste, peut-être tomberaient-elles désespérément amoureuses de moi.

En attendant que ce jour arrive, je restais dans le noir sur les lames de parquet qui grinçaient, enveloppé par la nuit, les jambes parcourues de spasmes de désir ; j'étais en proie à une sorte d'impuissance, d'analphabétisme émotionnel, tant il me paraissait impossible que cela se produise un jour. Cette issue n'existait que dans le creuset chauffé à blanc de mon imaginaire frappé d'insolation et le matin, au réveil, j'étais en nage, assailli de démangeaisons, les brins rêches de la couverture en laine incrustés dans ma peau.

Je venais tout juste de m'assoupir lorsqu'un bruit me réveilla. Un gémissement angoissé. Sans bouger, j'ai cherché sa source dans le silence mat et infini et je l'ai entendu une deuxième fois. Une plainte assourdie, qui venait de chez Dulcie. Enfilant mes brodequins, je suis allé me poster à la lisière de la prairie, le regard dirigé vers la maison. La nuit était fraîche, paisible. Un troisième cri – une lamentation suivie d'un sanglot, puis une lampe s'alluma dans la chambre à coucher et projeta des rectangles lumineux dans le jardin.

Je me suis baissé en toute hâte, de peur qu'on m'aperçoive en train d'épier. Comme il s'écoula plusieurs minutes, je suis retourné à mon sac de couchage et à ma couverture, les mollets trempés de rosée, pour lire « La Clef des champs » une dernière fois :

Elle nourrit un amour pour les menues choses
Qu'ils sont fort peu à avoir en partage
Et toujours jaillit l'herbe éternelle
Là où se dressaient des palais, là où la grandeur
a vécu.

Le sommeil m'a gagné en 1833 et j'ai dormi un siècle, sinon plus.

Profitant qu'il n'y ait ni vent ni pluie, j'ai passé la matinée à mettre la dernière touche à l'atelier : j'ai blanchi la façade en passant une double couche de chaux. J'avais déjà poncé les aspérités des vieux panneaux en bois, ôtant l'ancienne peinture qui s'écaillait, à présent j'appliquais le badigeon avec des gestes vifs et énergiques.

La métamorphose était quasiment achevée, la structure laissée à l'abandon que j'avais trouvée rencognée dans un coin de la prairie, pourrissant comme un chêne abattu par la tempête, semblait désormais se tenir droite et fidèle à elle-même, plus fière en un sens : les châssis rajustés des fenêtres ne craignaient plus les intempéries, les tuiles rugueuses du toit n'avaient plus à souffrir de la mousse poisseuse et des infiltrations, et l'intérieur remis en état était prêt à recevoir des occupants. J'avais fait du tri dans les affaires de Dulcie et je m'étais débarrassé de ce dont elle n'avait plus usage : chiffons rances, meubles détériorés, ampoules grillées, tout un bric-à-brac. J'avais réparé la chasse d'eau et même changé le revêtement à l'intérieur du conduit d'évacuation, si bien que le vieux poêle, jadis encrassé de suie et inutile, devenu rutilant et fonctionnel, avait tellement de tirant qu'il me suffit de deux ou trois bûches bien sèches et de petit bois pour produire un feu qui allait transformer l'atelier en sauna par cette chaude journée d'été.

J'ai consacré plusieurs heures à peindre la cabane et j'ai attendu que la première couche ait séché pour appliquer la seconde, prenant au piège les mouches qui se posaient dessus ; les cheveux et le torse mouchetés de taches blanches à peine plus grandes qu'une tête d'épingle, les bras endoloris, j'ai senti la soif me gagner.

J'ai appelé Dulcie, aucune réponse. J'ai entendu Majordome qui grattait frénétiquement la porte, coincé à l'intérieur. Lorsque je lui ai ouvert, il fila sans un regard en arrière et s'élança dans la prairie, comme s'il pistait un renard qui aurait eu l'audace de s'aventurer en journée sur son territoire.

Du regard, j'ai suivi sa progression à travers les hautes herbes tandis qu'il ouvrait un passage derrière l'enchevêtrement de broussailles au fond de la prairie, où j'avais fait l'expérience de ce qu'on pourrait qualifier de rêve éveillé ou d'hallucination le jour où j'étais arrivé dans ce coin étrange et magique. Accélérant le pas, j'ai failli m'étaler de tout mon long dans le ruisseau encaissé, blotti entre les touffes de la végétation, retrouvant de justesse mon équilibre et déplaçant mon centre de gravité.

Il y avait une silhouette sous les mûriers sauvages. Une forme étendue face contre terre dans l'ombre.

Majordome arriva le premier à ses côtés et je l'ai rejoint un instant plus tard, hors d'haleine, la sueur coulant le long de mes tempes.

Cette forme, c'était Dulcie.

Elle était étendue sur le flanc, comme en position latérale de sécurité, les mains maculées d'un liquide qui ressemblait fort à du sang. Le visage barbouillé, aussi – une zébrure lui barrait la bouche, et sa joue s'ornait d'une empreinte écarlate. Son chapeau gisait dans l'herbe.

Avalant des goulées d'air, je me suis figé. Le chien se mit à geindre et se faufila prudemment sous les ronces, où il entreprit de lui lécher la figure à petits coups de langue.

Dulcie se réveilla, s'animant d'un coup.

« Pouah. Mais qu'est-ce qui te prend ? »

Elle chassa l'animal du revers de la main puis elle me regarda, interloquée. Elle se redressa lentement et s'appuya sur son coude.

« Essaie de ne pas bouger, lui ai-je conseillé.

— En quel honneur ?

— Tu es blessée.

— Blessée, moi ?

— Oui… il y a du sang. »

Alors j'ai montré ses mains. Dulcie les étudia un bon moment avant d'éructer, un rot long et grave, et d'émettre des bruits de mastication. Enfin, elle se passa la langue sur les lèvres et ramassa son chapeau.

« Tu fais tout un plat de pas grand-chose, Robert. Franchement.

— J'ai cru qu'il t'était arrivé quelque chose.

245

— Ce qu'il m'est arrivé, ce sont des mûres. J'y suis allée un peu trop fort. Elles sont arrivées à maturité tôt cette année et elles sont encore un peu acides, mais une fine couche de muscovado devrait régler ce petit souci. Je vais en faire de la gelée. Ou une bonne compote à base de fruits frais, peut-être. La dégustation a échappé à mon contrôle.

— J'ai cru...

— Tu as cru quoi ? Que j'avais passé l'arme à gauche ? »

Dulcie poussa un cri d'allégresse.

« Je t'ai vue par terre.

— Oui, en train de piquer un roupillon, comme cela a pu t'arriver à toi aussi, et pas qu'une fois, je t'ai vu. »

Elle s'esclaffa, de bon cœur.

« Ce n'est pas drôle, ai-je protesté.

— Oh si, hilarant. Maintenant aide-moi à me relever, tu veux bien. »

Nous avons regagné la maison à pas lents, escortés de Majordome, traçant un chemin dans l'herbe, dos à la mer.

« Sous les mûriers avec les vers de terre, je connais pire façon de tirer sa révérence, » déclara Dulcie sur un ton philosophe.

— J'espère que ça ne te dérange pas que je pose la question, Dulcie, mais j'ai eu l'impression d'entendre un bruit la nuit dernière.

— Ce n'est pas une question que tu poses. Tu constates.

— C'est toi que j'ai entendue ?

— Je n'en sais rien. Qu'est-ce que tu as entendu ?

— Une sorte de gémissement bouleversé.

— Monsieur et madame goupil, sans doute. Qui faisaient la bête à deux dos.

— Ça venait de la maison. »

Je n'ai même pas eu droit à un regard.

« Si ça venait de la maison c'était Majordome, forcément. Il a tendance à parler en dormant. Un truc de chiens, tu sais. Ils en sont parfaitement capables. »

Évitant toujours mon regard, elle étudia l'atelier, un cube d'un blanc aveuglant qui séchait sous le soleil au zénith. Je suis revenu à la charge :

« On aurait plutôt dit...

— Des harengs, m'interrompit Dulcie. J'ai eu l'idée de proposer au petit déjeuner des harengs tellement fumés qu'ils donnent l'impression d'avoir été exhumés des cendres d'un bûcher. Un œuf, poché à la perfection, par personne, peut-être deux pour toi, voire plus, car il semblerait que tu n'as pas chômé. Ce sera le petit déjeuner le plus tardif au monde, mais je me rachèterai en le faisant suivre assez rapidement d'une collation où je servirai des scones aussi gros que le poing pour accompagner la compote. Aïe – zut et re-zut. Ça me revient, nous n'avons plus de crème fraîche. Servir des scones sans une crème digne de ce nom serait un désastre d'ampleur apocalyptique.

— Là, ce n'est pas moi qui fais tout un plat de pas grand-chose. Sans crème, ça me va très bien.

— En retour, j'ai une petite faveur à te demander.

— Bien sûr. Laquelle, Dulcie ? »

Nous avions atteint la clôture, au niveau du secteur que j'avais désherbé et que la prairie grignotait déjà. Depuis que j'avais ouvert un couloir à cet endroit j'avais perdu le fil du temps.

« Si l'envie nous en prend plus tard, peut-être pourrais-tu me lire un poème ?

— N'importe lequel ?

— Un extrait d'*Au large*. »

J'ai eu un moment d'hésitation.

« Eh bien, oui. Si tu le souhaites. Ce serait un honneur.

— Bien. Maintenant, va te laver les mains. Les harengs et leur garniture seront servis d'ici sept minutes, ou plus tôt. » Elle gratouilla le chien derrière les oreilles. « De la peau de poisson, noble bête. Ton dessert préféré. »

Plus tard, au retour de ma baignade vespérale qui m'avait permis de brûler la double portion du festin de l'après-midi, j'ai trouvé la table de dehors dressée avec un cercle de bougies aux tailles et aux couleurs variées, leur flamme tremblotant dans la brise qui montait de la mer tandis que le jour déclinait.

« Alors, elle était bonne ?

— L'eau ? Mouillée et merveilleuse, ai-je répondu en me séchant les cheveux. Tu veux que j'aille chercher les poèmes ? »

Dulcie fit oui de la tête. « Et moi, je vais chercher une bouteille. Il y a un cognac que je réservais pour une occasion particulière, même si j'étais loin d'imaginer que ce serait pour les poèmes de Romy. Je vais en avoir besoin, j'en ai bien peur. »

Quand je suis revenu, le manuscrit à la main, Dulcie s'allumait un énorme havane au moyen d'une allumette qui, par contraste, paraissait toute petite. Elle tira quelques bouffées brèves et rapides afin de l'enflammer complètement, puis elle jeta l'allumette et recracha une épaisse fumée, une longue et lourde volute, ponctuée d'une petite toux. C'était la première fois que je voyais une femme fumer le cigare ; je n'avais pas vu non plus beaucoup d'hommes le faire. Au village, les mineurs affichaient leur préférence pour les Capstan sans filtre et il leur arrivait parfois de sortir la pipe le dimanche, durant le peu de loisirs qu'ils avaient. Le cigare, symbole de ce que la plupart ne connaîtraient jamais : la richesse et le luxe.

« Je ne savais pas que tu fumais, Dulcie.

— Seulement quand je lis de la poésie. »

J'ai pris une chaise. De sa poche, Dulcie sortit un gros cendrier en cuivre dont la forme évoquait une mouche dont les ailes pivotaient pour révéler un compartiment dans lequel, d'un index appliqué, elle tapota les cendres.

« Quel poème as-tu envie d'entendre ?

— Comment le saurais-je, puisque je ne connais pas le contenu du recueil. Je pensais qu'il était établi que ces textes sont restés intouchés pour une bonne raison.

— Peut-être que ce serait une bonne idée d'en prendre un au hasard. »

Dulcie tira une bouffée de son cigare et me servit deux doigts de cognac. J'avais mis mon unique chemise propre.

« Peut-être que ce serait une bonne idée de tergiverser encore plus.

— Je ne sais pas trop », ai-je répondu.

En feuilletant le manuscrit je suis tombé sur un poème intitulé « Élégie pour une noyade ».

« Qu'est-ce que c'est, un élégie, Dulcie ? »

Elle exhala une fumée qui lui voila le visage, et qu'elle dissipa de la main.

« *Une* élégie. Ce qui est quasiment certain, c'est que Romy aurait intégré ce mot dans son œuvre. Cela désigne une mélopée. Ou un récitatif. Une complainte pour les défunts. » Dulcie s'éclaircit la voix avant de poursuivre : « On pourrait presque parler de chant funèbre.

— Oh, » ai-je lâché, la lumière se faisant soudain dans mon esprit.

Elle enchaîna : « Sans même le lire, nous pouvons déduire du titre que ce poème spécifique vient prédire les événements à venir – un avertissement, même si le monde n'en a jamais tenu compte, bien entendu.

— Un S.O.S. ?

— Une déclaration d'intention, plutôt. »

J'ai avalé une petite gorgée de cognac qui brûla, au sens littéral, tout sur son passage. Un désastre. Mais j'y suis retourné.

« Je ferais sans doute mieux d'en choisir un autre.

— C'est toi qui vois. Mais dis-moi – simple curiosité – comment s'ouvre ce poème ?

— Fleurs de sang / Éclosion puis déferlante, ai-je lu. Non, un autre, c'est mieux. »

J'ai étudié la table des matières. Le cigare rendit l'âme, Dulcie frotta une nouvelle allumette.

« J'ai l'impression que celui-là parle de toi. »

Suçotant bruyamment le havane, Dulcie reprit le cérémonial qui le ramena à la vie – enfin, la fumée dense et âcre nous enveloppa de ses épais tourbillons.

« C'est à moi d'en juger. Que la séance commence.

— Ça s'appelle "La Fileuse de miel". »

Dulcie éteignit l'allumette en l'agitant.

« Oh. »

J'ai entrepris de lire le poème tel qu'il apparaissait sur la page.

La Fileuse de miel

Ton haleine jusqu'à moi traverse
l'oreiller, souffle du sirocco.

De ta bouche n'est sortie
nulle amarante

quand tu dormais.
Et quand tu dormais.

Les loups voraces ont été
bannis du royaume de la cruauté

et dehors les premières gouttes de pluie
tombent, liqueur du matin

comme un violoniste ivre sur les marches
du cénotaphe de marbre.

Dulcie attendit que j'arrive au bout du poème pour avaler une rasade de cognac, puis elle se resservit.

« Relis-le, s'il te plaît. Un peu moins vite. »

Elle ferma les yeux. J'ai bu une gorgée avant de reprendre depuis le début.

Dulcie resta sans rien dire un long moment. Le cigare rougeoyait entre ses doigts et resta en suspens là, libérant un ruban de fumée bleue qui s'envola dans le jardin et gagna la prairie. J'ai remarqué alors des chauves-souris qui voletaient au-dessus de l'herbe, zigzaguant à toute vitesse tandis qu'elles se régalaient d'insectes.

« Oui, dit-elle, les paupières toujours closes. C'est ça. »

J'ai vidé mon verre. Le cognac se laissait boire, finalement, une fois qu'on s'y habituait. Avec cette note de fruits torréfiés à l'arrière-plan, longue en bouche.

« Encore une fois. »

J'ai relu le poème et, à la fin, Dulcie ouvrit les yeux.

« Mon Dieu. Quel génie c'était. »

Elle reversa du cognac, dans mon verre comme dans le sien, et nous sommes restés à regarder les chauves-souris sillonner le ciel.

Face au spectacle exubérant offert par le crépuscule, Dulcie finit par briser le silence. « Tu sais quoi, Robert ? Il faudrait que tu te trouves une bonne amie. »

Sous l'effet de l'alcool les syllabes s'étiraient, Dulcie avait du mal à articuler et ses mots s'entrechoquaient.

Comme je ne répondais pas, elle ajouta : « Un bon ami, alors. Ou un de chaque bord. Profite. » Devant mon silence obstiné, elle se servit de son verre pour tracer un cercle en l'air et s'enquit : « Tu as quelqu'un qui t'attend au village ? »

Avec une grimace d'embarras, j'ai fait non de la tête : « Toutes celles qui en valent la peine ne risquent pas de s'intéresser à moi.

— Ne te sous-estime pas, Robert.

— Dans le coin où j'habite, les filles sont des bécasses. »

Là encore elle agita son verre, cette fois-ci du cognac déborda et lui arrosa le poignet.

« Dans ce cas, il faut que tu jettes ton filet plus loin. Ce que tu fais déjà, je présume, comme en témoigne ta présence ici. Oui, jette ton filet et remonte-le. Le pêcheur ne reste pas bras croisés à attendre que le poisson saute sur le pont de son bateau. Il va là où ça mord.

— Je ne cherche pas vraiment.

— Pas même un peu ? »

Dulcie me lança un regard en coin, un sourire flottant sur les lèvres.

Réprimant le mien, j'ai haussé les épaules.

« Pas même un coup d'œil en douce à ces jeunesses qui viennent passer la journée à la plage, ou à ces plantureuses filles de ferme au frais minois qui descendent dans la baie sur le tracteur de papa pendant qu'il est parti vendre ses brebis à la foire d'Egton ? »

En dépit de son accent tout britannique, épuré et impeccable, et l'effet correctif de l'alcool, j'ai remarqué que Dulcie prononçait « brebis » avec l'intonation du Yorkshire.

« Un coup d'œil en douce, peut-être bien, ai-je concédé.

— C'est tout naturel. Tu es jeune, tu as du sang qui coule dans tes veines, et entre les jambes. À ton âge j'avais déjà... » Dulcie hésita, détournant le regard. Puis elle avala une gorgée. « Eh bien, nous n'entrerons pas dans ces détails. »

Voilà qui piqua ma curiosité. « Qu'est-ce que tu avais déjà fait à mon âge, Dulcie ? »

Elle porta le verre à ses lèvres et parla dans le même mouvement.

« J'avais débauché la fille du pasteur local, ce qui explique pourquoi on m'a mise à la porte de l'école, et je n'ai pas à le regretter. Parce que, si l'enfer existe ici-bas, il prend sans doute la forme d'un internat anglais fréquenté par des greluches dont les parents sont des diplomates, des aristos, des rentiers oisifs et des membres du gotha, chicots écartés et oreilles décollées, qui brassent du vent et font de l'épate avec leur patronyme prestigieux, leur blason et leur chevalière.

— Qu'as-tu fait ?

— Avec Verity ?

— Non, après qu'on t'a mise à la porte ?

— J'ai commencé à vivre, Robert. À aimer, aussi. Et c'est ce que tu dois absolument faire. Vivre et aimer toutes les bouches, les mains et les orifices moites qui te feront bon accueil et ensuite, quand tu auras trouvé quelqu'un qui comblera aussi ton âme, consacre-toi entièrement à cette personne. »

Elle huma le contenu de son verre et avala une gorgée.

« Le plaisir, ce n'est pas un crime, conclut-elle. C'est un droit accordé à la naissance. »

Le cognac me châtia par une douleur sourde qui me pilonna le crâne le lendemain matin. Pourtant réveillé de bonne heure, j'étais incapable de faire le moindre mouvement, même pour aller me désaltérer, et je me suis contenté de rester allongé, immobile, tandis que le soleil courait sur les murs de l'atelier, réchauffant le parquet qui protestait et grinçait, dur sous mon dos. À l'entour, la prairie sortait du sommeil après une nuit courte, sans réelle obscurité. Nous étions au plus fort de l'été. En plein cœur, quand la vie était à son point culminant, avec sa végétation exubérante, la sève montait, et quand même la mer était d'un vert authentique. Elle m'apparaissait plus vaste à présent, ce n'était plus une barrière mais un prolongement du terrain vallonné qui se déroulait jusqu'elle – et au-delà – à la façon d'un matelas prolongeant un amoncellement de couvertures kaki. J'ai aperçu une mouche au-dessus de moi. Elle se déplaçait par à-coups, avec des mouvements heurtés, comme si elle dessinait des carrés dans les airs. Je me suis assoupi et j'ai vu en rêve des nuées de mouches, et ensuite, l'eau qui se refermait sur moi, le mugissement et le fracas assourdi de sa musique sous-marine.

Soudain, j'ai entendu mon nom. Dulcie m'appelait à l'autre bout de la maison. J'ai enfilé mes vêtements et mes brodequins et je suis sorti dans une lumière si vive qu'il me fallut attendre quelques instants, le temps que mes yeux s'accoutument tandis que le soleil aveuglant imprimait au fer blanc des formes sur mes rétines.

J'ai vu Dulcie agiter les bras avec énergie, à la façon d'un noyé dans une houle de jade.

Une fois certaine d'avoir attiré mon attention elle se fit une visière de l'avant-bras et, de l'autre main, elle désigna la clôture qui jouxtait l'appentis, d'où partait l'étroit taillis accroché au ruisseau à flanc de colline.

J'ai couru jusqu'à elle. « Qu'est-ce qui se passe ?

— Un essaim. » Elle semblait surexcitée.

« Quoi ?

— Des abeilles. Un barouf pas permis, elles viennent de s'installer… par ici. »

Du regard, j'ai suivi la direction qu'elle indiquait, avisant une branche basse à laquelle était suspendue une grappe qui oscillait, en forme de larme.

« *Apis mellifera*. L'abeille européenne. Il y en a des centaines, bon sang. Quelle chance.

— De la chance ?

— Oui. C'est un signe, tu ne crois pas ? Je soupçonne dame Nature de me suggérer subtilement de reprendre mon petit trafic de miel – avec ton aide, je précise. »

J'ai jeté un nouveau coup d'œil à la branche et aux abeilles qui se grimpaient dessus, une masse en mouvement perpétuel, fébrile et grouillante, de pattes et d'ailes.

« Mais la culture du miel, je n'y connais absolument rien.

— Pas besoin de s'y connaître – tu m'as moi. Je serai la cervelle et tu seras mes muscles, pour ainsi dire. Et Jojo pourra regarder, à bonne distance, et sans prendre de risques. Des expériences traumatisantes l'ont rendu amer. Il s'est fait piquer à trois reprises au popotin, vois-tu. Il est entré dans une sorte de transe. Tout à fait curieux. »

Effectivement, le chien se tenait très en retrait, on ne voyait que sa grosse tête et ses oreilles sur le seuil de la maison.

« J'ai dû enlever le dard moi-même », ajouta Dulcie, de la mélancolie dans la voix.

Je n'ai pas bougé d'un pouce. Le bourdonnement émis par l'essaim était, à mes oreilles, malveillant ; je m'étais fait attaquer assez souvent pour savoir quelle douleur les abeilles sont capables d'infliger. Une piqûre au cuir chevelu, sur une peau fine et sans couche de gras, est aussi cruelle qu'un coup de marteau.

« Que faut-il faire ?

— Pour l'instant, rien. D'abord les laisser s'installer et se reposer après leur périlleux voyage et ensuite, quand elles seront tout à fait détendues, les doigts de pied en éventail, les cueillir et leur fournir un petit logement coquet. En fixant un loyer dérisoire : un peu de miel de temps à autre, au fur et à mesure.

— Où vont-elles s'installer ?

— Dans l'une des ruches, bien entendu.

— Quelles ruches ?

— Mes vieux palaces à butineuses au fond de la prairie, près des ronces. Tu ne les as pas vues ? »

Tandis que Dulcie s'affairait aux préparatifs, je me suis empressé de désherber la zone prise d'assaut par les ronces et, comme annoncé, j'ai déniché six ou sept ruches parmi les broussailles. À force de travail j'ai fini par accéder à la plus proche, retirer le couvercle et sortir les cadres un par un que j'ai nettoyés au jet près de la maison sur les instructions de mon aînée. Dulcie arriva avec un drap, un carton, un sécateur et un petit bâton.

« Ça fera l'affaire.

— Tu veux qu'elles rentrent dans le carton ? Comment tu comptes t'y prendre ?

— Rectification : comment *toi*, tu comptes t'y prendre. Tiens. Mets ça. » Dulcie me passa une tenue d'apiculteur de couleur blanche.

« Mais si elles s'énervent ?

— Tout va bien se passer. Ne bouge pas, reste calme. Ou mets-toi à l'ombre – les abeilles t'embêtent rarement à l'ombre.

— Vraiment ? »

Elle haussa les épaules. « C'est probable. Souviens-toi simplement que tu es plus grand qu'elles.

— Et tu es plus grande que moi, ai-je rétorqué.

— Bien vu – et je n'ai pas peur de toi, donc tu ne devrais pas avoir peur d'elles. Maintenant, va accueillir nos nouvelles voisines. Il y a la population entière d'un rucher qui a hâte d'emménager dans son usine à miel.

— Je risque de me faire piquer.

— Oui, c'est un risque.

— Mais ça ne fait pas mal ?

— Le goût du miel te fait très vite oublier la douleur. Tu confonds sans doute avec les guêpes. Autant mettre en boîte des mouches à viande qui, elles, ne piquent pas, mais où est le plaisir là-dedans ? Regarde : les éclaireuses se sont lancées dans leur petite danse. Elles ont dû partir en quête d'un nouveau logis. C'est le moment idéal. Je vais te guider. »

J'ai enfilé la tenue à contrecœur et Dulcie m'aida à fixer le couvre-chef équipé d'un voile. Elle recula d'un pas et m'inspecta des pieds à la tête. « Oui, ça ira. Comment tu te sens là-dessous ?

— Piégé.

— Ah, je le répète, car c'est essentiel : rien n'a meilleur goût que le nectar produit par des abeilles qui ont butiné la bruyère des plaines du Yorkshire, Robert. Tu verras. Fais-moi confiance. J'échangerais volontiers une tonne de steak tartare et un tonneau de caviar Béluga contre un bocal ou deux de miel maison. Tu sais pourquoi ?

— Parce que tu aimes manger ?

— Parce que le miel, c'est de la poésie sous forme liquide. Comme une tranche de soleil étalée sur ton pain. La quintessence de la nature – la terre, l'insecte et l'homme, ou la femme, œuvrant en parfaite entente. L'abeille est un pur prodige, je n'exagère pas, infatigable, capable de changer le pollen en or. Et nous devrions sans doute nous inspirer de l'organisation harmonieuse de leurs sociétés : "de leur ventre sort une liqueur dans laquelle il y a une guérison pour les gens". Sais-tu à qui j'emprunte cette citation ? »

L'esprit ailleurs, j'ai rajusté les gants de protection. « À votre ami Lawrence ? »

— Tu es à des années-lumière. C'est un extrait du Coran, qui a été écrit des siècles plus tôt que notre sanctissime Bible – même si, à titre personnel, je l'ai rebaptisée Sainte

Bimbelote – et qui est une lecture un chouïa moins aride, même si l'une et l'autre réclament la patte d'un éditeur hautement compétent. » Dulcie me passa le sécateur. « Assez causé. Ces abeilles ne vont pas se mettre en boîte toutes seules. »

Je me suis approché à pas très lents de l'essaim qui oscillait et je me suis retourné, pour découvrir que Dulcie avait mis encore plus de distance et m'exhortait à avancer, en gesticulant. J'ai senti la sueur perler sur mon front et mes tempes. Toujours hanté par le souvenir des piqûres mal placées, Majordome s'était lui aussi mis à l'abri.

« Je croyais qu'elles étaient inoffensives, c'est ce que tu m'as dit, ai-je lancé, haussant un peu la voix.

— C'est toi qui portes une tenue de protection. Par ailleurs, grand comme tu es, il faudrait entre mille et mille cinq cents piqûres pour t'abattre.

— C'est vrai ? »

Dulcie fit comme si elle n'avait pas entendu, une stratégie qu'elle utilisait quand elle était incapable de confirmer la véracité de ces déclarations les plus hardies, je m'en étais rendu compte.

« Bon, tout ce que tu as à faire, c'est couper la branche à laquelle elles sont accrochées, avec les précautions de rigueur, et déposer cette branche dans le carton, m'expliqua Dulcie. Ça va être assez lourd, fatalement, mais je vois que tu as mis l'été à profit pour te remplumer. »

J'ai progressé de quelques pas et l'essaim sembla réagir à mon approche mais, au lieu de le voir comme un amas sournois et bourdonnant, j'ai considéré les abeilles en tant qu'individus, minuscules rouages d'une machine collective.

« Souviens-toi, me dit Dulcie, aucune abeille n'a envie de te faire du mal, pas plus que toi tu n'as envie de leur en faire.

— Ça n'est pas du tout mon intention.

— Précisément. »

Tendant le bras, j'ai taillé la branche. Plusieurs abeilles prirent leur envol mais d'autres, parties à l'aventure, semblèrent réintégrer l'entité qui vrombissait à bas bruit entre mes mains. Un spectacle de toute beauté.

« Voilà. C'est bien.

— Pas moyen me concentrer avec tes commentaires, ai-je marmonné.

— Écoute-les chanter. Écoute leur musique. »

Dulcie dansait presque de joie et pourtant, je n'entendais rien, hormis un bourdonnement sourd et râpeux. Monocorde, aride. J'ai approché la branche du carton.

« Tout doux, Robert. Traite-la comme un nouveau-né que tu es en train de mettre au monde.

— Je ne suis pas sage-femme, ai-je lâché, sans desserrer les dents.

— Dans ce cas, fais preuve d'un minimum de bon sens, au nom de Dieu, de Mahomet et de Satan. »

Les abeilles intégrèrent leur nouveau domicile.

« Et maintenant ?

— Pose le carton par terre et recouvre-le avec ça. »

Dulcie me jeta le drap.

« Bien, fit-elle. Excellent. Et là, il ne nous reste plus qu'à...

— Ça me plaît beaucoup, ta façon de dire « nous ».

— Et moi, ce qui me plaît, c'est que tu apprends enfin à montrer les crocs. Bravo. Tu ne te laisses plus marcher dessus, c'est bien. Je disais donc, il ne nous reste qu'à retourner la boîte et l'entrouvrir, à peine, à l'aide d'un bâton ou d'une baguette.

— Elles ne vont pas s'échapper ?

— Robert, les insectes ne sont pas prisonniers – l'intérêt, justement, c'est de leur laisser toute latitude pour aller et venir, comme ça leur chante. Jamais je ne pourrais priver un animal de sa liberté. Jamais. Que ce soit un oiseau ou un poisson rouge, et même les poules qu'on a eues à une époque avec Romy pouvaient cavaler aux quatre coins de la prairie. Non, l'idée, c'est qu'elles se plaisent tellement dans ce pied-à-terre qu'elles émettent des phéromones de plaisir et alertent leurs semblables, pour les inviter à leur pendaison de crémaillère. D'ici ce soir, elles seront rejointes par une foultitude de copines. Traite cette ruche comme un hôtel, si tu veux continuer à anthropomorphiser ces créatures – un quatre étoiles sur Mayfair, pas moins. »

J'ai suivi les consignes de Dulcie et découvert, à ma grande surprise, que très peu d'abeilles choisirent de se faire la belle.

« Félicitations, dit-elle. Te voilà promu apiculteur. Sais-tu que traditionnellement, cela porte chance quand homme et femme prennent soin des abeilles et récoltent le miel, mais il ne faut pas qu'ils soient mariés, surtout pas. De simples partenaires qui travaillent main dans la main, c'est l'idéal. Autre anecdote, encore plus pertinente : il y a quelques années, le ministre de l'Agriculture a décidé de nous allouer, à nous autres apiculteurs, une ration supplémentaire de sucre – cinq kilogrammes par ruchée, si ma mémoire ne me fait pas défaut. Le souci, c'est que, durant la guerre, certains fraudeurs qui avaient de la suite dans les idées ont entrepris de siphonner cette denrée pour leur usage et celui de leur famille – comment leur en vouloir –, à la suite de quoi le gouvernement a coloré en vert les rations destinées aux abeilles qui, dans la foulée, se sont mises à produire du miel vert. As-tu déjà entendu une absurdité pareille ?

— Pas avant de te rencontrer, non.

— Très bien. Déjeunons. »

Les rares matins où je découvrais au réveil un ciel couleur de caillou et une mer semblable à une masse bourbeuse de mousse malodorante, et il y avait une fraîcheur dans l'air, avec des nuages plombés et pansus jusqu'à la ligne brumeuse de l'horizon, je renonçais à ma baignade quotidienne ou à mes ablutions intimes au bord du ruisseau et j'adoptais un rituel différent. Ces jours-là je me levais plus tôt et je gagnais le fond de la prairie où le terrain déclinait et l'herbe poussait dru, chaque brin lesté d'écume printanière, et tandis que je m'assurais d'être à l'abri des regards, je me mettais nu et je m'allongeais sur ce tapis rugueux. Là, je me roulais dans l'herbe, comme un chien, comme un nouveau-né, pour qu'elle me mouille et me griffe des pieds à la tête, avant d'arracher quelques touffes et de me frictionner avec, là où c'était nécessaire. Une pratique revigorante dont je sortais la peau parcourue de picotements mais d'une propreté irréprochable, aussi lustré qu'une perle extraite d'une huître.

Il m'arriva même de m'offrir un bain nocturne, une fois ou deux, muni d'une savonnette dont la blancheur évoquait le clair de lune qui illuminait la cuvette au fond de laquelle je gigotais et me tortillais, animal sauvage trouvant un répit transitoire, créature joueuse que nul n'avait apprivoisée arpentant le territoire qui lui servait de refuge.

Dans ces moments-là, ou quand je labourais la terre, quand je ponçais du bois, quand j'étais assis sur un banc le visage au soleil, j'avais la sensation de me dissocier complètement de l'instant présent – peut-être étais-je, au contraire, pleinement immergé dans l'ici et dans le maintenant –, à tel point que j'en oubliais qui j'étais. L'ardoise de l'identité était effacée. Envolés, le fardeau du passé et de l'immédiateté, l'air confiné des salles de classe et les résultats d'examen qui approchaient, les offices du charbon, les puits de forage et les pensions de retraite, disparus tracas et tourments, je partais à la dérive avant de revenir, ramené à moi-même par le grondement du ciel ou de mon estomac, ou lorsque les oiseaux brisaient le silence par leurs vocalises.

Je me complaisais dans certains états d'entre-deux, ces phases où le jour cédait la place à la nuit et la nuit au jour, et où le temps perdait sa linéarité pour devenir élastique, s'étirant et se contractant à volonté, une minute se transformant en une journée et la semaine disparaissant en un clin d'œil. Les fleurs s'épanouissaient, les chatons des saules étaient emportés par le vent et les berces poussaient altières dans la vallée ombreuse au fond de la prairie. Le temps lui-même était scandé par la croissance de la végétation, se réglant sur une routine simple : travailler, manger, nager, dormir.

À mesure que s'allongeaient les soirées remplies d'odeurs suaves, mes promenades en compagnie de Majordome s'allongeaient d'autant. Certains soirs j'avais la sensation que l'énergie faisait pétiller mon sang et, lorsque cela se produisait, j'allais par la lande ou je descendais dans la baie, je dépassais les maisons et je remontais la plage au milieu des amas d'algues échouées, laissant le village loin derrière, le flanc de la colline à l'arrière-plan avalé peu à peu par l'obscurité, avant de revenir sur mes pas et de rentrer, en nage, épuisé, la gorge sèche, sur le sentier éclairé par un quartier de lune.

Les jours et les nuits s'écoulèrent ainsi tandis que la saison progressait sans heurts, que les fermiers se plaignaient de la plus forte sécheresse des dernières décennies et que je m'abandonnais à la paresse dans la fournaise. L'été atteignit son apogée.

Et chaque soir, un poème. Les abeilles bien au chaud dans leur nouveau logis, la remise à neuf de l'atelier achevée ou presque, un semblant de discipline instauré dans la prairie, j'ai eu quartier libre plusieurs jours où j'ai pu nager puis explorer les falaises qui surplombaient la mer, sillonnées par d'étroits raidillons arborés qui offraient une fraîcheur délicieuse dans cette touffeur, ou arpenter les chemins de contrebandiers. L'idée de devoir quitter un jour cet endroit m'effleurait à peine. Le temps s'était figé, le cycle des marées avait englouti le calendrier. C'était l'été, et on avait l'impression qu'il durerait éternellement. J'aurais pu parier une somme rondelette qu'on n'en verrait jamais la fin.

Après le dîner, la langue déliée par ce vin auquel je prenais doucement goût, ou mis en verve par le cognac que Dulcie buvait comme de l'eau, un cigare tout juste coupé entre l'index et le majeur, je lisais un poème, un seul, d'*Au Large*. Au fil de ces lectures j'ai réussi à cerner la femme que Dulcie avait aimée. Ses réactions vis-à-vis des œuvres balayaient un spectre très large, entre inquiétude et euphorie, douleur extériorisée et silence impassible, et pourtant, le lendemain elle se tenait prête à écouter un autre poème, un seul, pour le savourer ensuite. C'était peut-être la limite de ce que lui permettaient ses émotions. Difficile à dire car, même si je me familiarisais peu à peu avec ses manières étranges, au nombre desquelles sa virtuosité linguistique, la répugnance que lui inspirait toute forme d'autorité et, bien entendu, sa résistance héroïque à l'alcool, elle restait impénétrable. Une part d'elle se dérobait – ce noyau compact qui constitue l'invariant de chacun. Sa qualité intrinsèque.

J'avais pu établir qu'un seul des poèmes contenus dans le recueil, composé en Italie, n'avait pas la baie pour décor mais explorait malgré tout des thèmes similaires qui m'étaient à présent familiers et qui incorporaient ces mêmes images qui sans cesse revenaient.

« Il date du dernier voyage que nous avons fait ensemble, un peu avant que cette bande d'imbéciles et de salopards ne prennent les armes, me raconta Dulcie, en guise de contexte. Nous avions quitté Naples pour aller explorer les ruines de Pompéi, et nous avons continué sur Sorrente, Positano, le long de la côte amalfitaine. Nous étions en vacances, pour une fois, pas en déplacement professionnel. Quelle joie de parcourir l'Europe, de se sentir issue de quelque chose qui te dépasse, de communiquer avec ces civilisations antiques qui nous ont conduits jusqu'ici. Le voile noir s'abaissait graduellement sur Romy à l'époque et la mort l'épiait sans doute à l'angle des murs et au sommet des falaises, et dans ses cauchemars aussi, mais je crois fermement que nous avons connu des joies authentiques, même furtives, durant ces trois semaines. Il faut que j'y croie. Il le faut. »

Amalfi, 1939

Des mouettes blanches en piqué, une sirène dans le gosier,
    leur silhouette d'ombre survolant des chaînes de montagne affaissées.

Des falaises comme des rideaux de crématorium se drapent sur l'onde qui clapote
    et un ciel limpide happe la toux brûlante du Vésuve assoupi.

Au loin un pétrolier vide vogue vers le pétrole saoudien
    tandis que la brise dessine des motifs sur une surface de jade fracassée

et des formes nébuleuses se métamorphosent dans les profondeurs marines.
Sans axe, privées de squelette, aussi massifs que des mammouths,

    elles quittent l'abysse pour parcourir les bas-fonds tiédis par le printemps,
    que l'ampoule du soleil implacable fixe dans l'instant,

entraperçues comme la proie d'Achab avant son plongeon, mythe éternel,

fantômes naufragés hantant les corniches de l'esprit ardent.

Et au pied du mur dans le port des fous de Bassan se massent

pour becqueter l'œil d'un turbot lustré qui suffoque.

Et l'Europe retient son souffle.

Un soir, tandis que les chauves-souris s'adonnaient à la chasse aux papillons de nuit qui criblaient le ciel comme autant d'étoiles en papier découpées par un enfant, et le glapissement d'un renard se détachait du charivari habituel, hululements des chouettes, rumeur des moustiques et fracas assourdi des vagues, nous sommes arrivés au bout du manuscrit. Soudain, la fin devint concrète.

« C'est le dernier, ai-je déclaré.

— Déjà ?

— Oui.

— Tu en es sûr ? »

Je lui ai montré la page. « Certain. »

Dulcie nous servit du cognac, une dose particulièrement généreuse. Elle se carra sur sa chaise et s'éclaircit la voix.

« Dans ce cas. Nous avons fait tout ce chemin – il faut continuer, vaille que vaille. »

J'ai posé les yeux sur la page. « Je suis un peu bloqué sur le titre. C'est de l'allemand.

— Lis-le, s'il te plaît. »

J'ai décomposé le mot avant d'articuler posément. « *Überschwem-mungs-tod*. » Et de répéter : « *Überschwemmungstod*. »

Dulcie afficha un sourire. « Dieu bénisse les Allemands. Ils ont un mot pour tout et quand le vocabulaire leur manque ils en inventent un au débotté. Une pratique courante chez eux, la technique du Dr Frankenstein, greffer deux vocables mutilés puis les ressusciter. Celui-ci est un bel exemple.

— Qu'est-ce qu'il veut dire ?

— *Überschwemmung*, cela ferait référence à une inondation ou un engloutissement, ou peut-être un déluge. Et *Tod*, évidemment, c'est la mort. Donc, traduit à la va-vite, cela désigne la mort par excès d'eau ou la noyade.

— D'accord.

— Petite plaisanterie d'outre-tombe de Romy. »

J'ai froncé les sourcils.

« Oh, c'est tout à fait en phase avec son humour, macabre et mordant. L'une de ses qualités les plus séduisantes à mes yeux – cela, et son caractère insaisissable. Parce qu'en dépit de tout, vois-tu, je crois que Romy ne s'est jamais entièrement dévoilée. Pas avant son acte final, du moins. Le suicide, c'est le meilleur moyen au monde d'abattre ses cartes, tu ne trouves pas ? L'expression finale et définitive d'une vérité intime et crue, celle de l'esprit intranquille. Le geste ultime. Un arrêt complet pour l'éternité. »

J'ai alors compris ce qui avait aimanté Dulcie et Romy l'une à l'autre : il était évident qu'elles avaient en commun des traits de caractère très similaires.

Dulcie poussa un soupir lent, venu de loin.

« Je regrette simplement de n'avoir pas pu dire au revoir. Maintenant lis, s'il te plaît, Robert. »

Et j'ai lu.

Überschwemmungstod

Voilà que les bêtes braient dans l'étable en feu
et il pleut des oiseaux calcinés.

Tu ne ramasses plus les poissons qui pantèlent,
envasés, échoués sur le gravier du rivage,

pas plus que tu ne vacilles quand la marécume rapporte du sang bouillonnant,
et des formes hurlantes parcourent le ciel ravagé.

À présent tu es perdue dans le mensonge de ta vie.
Peut-être n'as-tu jamais été que la rumeur de toi-même –

quelques phrases bien troussées, raturées sur la page comme des cicatrices fraîches.
Phalène pris au piège d'un bocal de confiture surgies de l'enfance.

Toi : petit bois détrempé, fumée verte, méduse morte ;
fils de ta mère et fille de ton père, fictions, tous.

Ainsi prends congé, enfin, durant les jours agonisants d'avril, laissant, dérisoire héritage, un fin chapelet de mots creux

alors que tu te défais de l'ultime masque et imprimes ta marque sur la carte
scellée sous des planches pourrissantes, toi, livrée toute à la mer.

À la coda du poème, Dulcie blêmit. Epouvanté par ces vers, qui se répétaient un peu – Romy reprenait l'image du poisson hors de l'eau – j'ai cru qu'elle éprouvait le même sentiment d'horreur.

« Doux Jésus, lâcha-t-elle.

— Qu'y a-t-il ?

— Elle envoie un message.

— Je ne comprends pas.

— Tu ne comprends pas ? Elle envoie un message. Je savais qu'elle finirait par prendre contact.

— J'ai bien peur... »

Dulcie m'interrompit. « Est-ce que tu as arraché des lames du parquet quand tu as remis l'atelier à neuf ?

— Non. Mais j'en ai rafistolé une ou deux qui ne tenaient pas bien.

— Moins bien que les autres ?

— Je n'en jurerais pas. Peut-être.

— Montre-moi où.

— Pourquoi ?

— C'est en toutes lettres dans le poème, Robert. Tu ne saisis pas ? »

Non, je ne saisissais rien.

« Romy s'adresse à moi depuis son tombeau aquatique, m'expliqua Dulcie, sa voix chevrotant sous l'effet de l'émotion. "Scellée sous des planches pourrissantes, toi, livrée toute à la mer." Ce sont ses adieux. Je savais qu'elle me contacterait à la fin. Je le savais, bordel. »

X

Dans la cabane, j'ai repoussé couverture et sac de couchage, puis j'ai désigné les lames du parquet en question. « Ici, tu veux dire ?

— Bon sang, lâcha Dulcie. C'était sous mon nez. Sois gentil, va me chercher un outil.

— Lequel ?

— Peu importe. »

J'ai trouvé un ciseau de sculpteur que Dulcie m'arracha des mains avant de s'attaquer au jour entre les deux lattes. Je lui ai aussi donné un marteau. Elle se débarrassa de son chapeau et, des mèches de cheveux dans les yeux, elle inséra la lame biseautée dans la fente, fit levier sur une latte puis sur l'autre et appliqua un coup de marteau propre et précis. Le parquet se souleva. Gagnée par la frénésie, elle attrapa le vieux bois à pleines mains, les paumes glissant sur la surface, les ongles labourant le vernis. Jamais je ne l'avais vue dans un état pareil. Elle semblait tiraillée par des émotions contradictoires. La fureur et la fébrilité, peut-être. La panique. L'excitation.

« Laisse-moi t'aider. »

Dulcie fit la sourde oreille et se servit du côté pied-de-biche pour extraire, d'un geste aussi soudain que brutal, les vieux clous qui se détachèrent de la charpente avec un grincement fatigué. Presque hors d'haleine, elle jeta le marteau, se pencha et regarda au fond.

Pas d'erreur : une enveloppe, cachée au cœur de la fraîcheur des fondations en pierre de la cabane, enterrée là comme le dernier geste d'une femme suicidaire, l'âme-sœur de Dulcie Piper. Le poème n'avait pas menti. D'une main tremblante, Dulcie me confia l'enveloppe. Je l'ai acceptée.

Nous sommes restés un moment sans parler. Enfin, Dulcie brisa le silence.

« Vas-y, ouvre. »

Soudain l'enveloppe me sembla peser une tonne. Elle était lourde, très lourde. Une charge qui ne m'était pas familière, qui ne présentait aucun intérêt. Qui me répugnait, même.

« Je ne suis pas sûr que ce soit à moi de le faire.

— Ouvre-la, tu veux bien.

— Mais elle est à toi.

— Ouvre. »

Dulcie me lança cet ordre d'une voix sifflante qui ne tolérait aucun refus. J'ai obéi.

« Lis. »

J'ai commencé à lire.

« À voix haute, Robert. »

À voix haute, donc.

1er avril 1940

Mon très cher amour, ma fileuse de miel,

*Si tu as trouvé cette lettre alors tu es mer-
veilleuse, intelligente, brillantissime, mais cela,
je le savais déjà.*

*Et si tu as trouvé cette lettre, alors tu as
compris mon œuvre, et tu m'as comprise
aussi. Formidable. Tu as été la seule à t'en
approcher d'aussi près – pour de vrai, et à
chaque fois.*

*Au cas où tu chercherais une raison à
mon geste, la voici : je suis épuisée au-delà
de l'entendement. Un épuisement perpétuel et
malsain, incurable, je le sais au plus profond,
car je porte en moi un millier d'ombres que
ni la lumière ni le rire ne peuvent atteindre.
En ce premier avril, le jour des farceurs, je ne
souhaite qu'une chose, dormir, dormir pour
l'éternité, donc je vais m'assoupir, sous un
édredon d'eau. Une farce, c'est sans doute ce
qui résume le mieux ma vie, mais je n'ai que
cette idée en tête à présent.*

*Le monde est pourri jusqu'au trognon et
bientôt, la déflagration va l'engloutir intégralement. Mon pays a déclenché des désastres
inqualifiables et il en déclenchera d'autres,
encore et toujours. D'autres nations, d'autres
dictateurs, remplaceront ceux qui font claquer le fouet à l'heure actuelle. Ils connaî-
tront leur heure de gloire et bientôt la guerre
occupera tout notre horizon, un état permanent, jusqu'à mettre la planète à feu et à*

sang. Je suis certaine que l'homme ne verra pas le vingt-et-unième siècle et il entraînera sans doute la femme avec lui, crime impardonnable.

Le monde que je vois émerger n'est pas un endroit fait pour une poétesse nombriliste, surtout si elle a perdu sa voix. On m'a rendue impuissante, inutile, dénuée de sens. Absurde.

Mais toi, Dulcie Piper, tu es forte. D'une force peu commune. Une Amazone. Retiens ceci : tu vas t'en sortir, avec ou sans moi. Je sais que tu vas t'en sortir.

Je crains de ne pouvoir expier ce départ prématuré. C'est impossible. Mais ce pour quoi je te demande pardon, c'est de t'abandonner ainsi. Sache, mon amour, que c'est grâce à toi, toi et personne d'autre, que j'ai réussi à endurer l'existence ces dernières années. Le temps passé ici aurait été idyllique sans cette cervelle qui tourne et tournicote. Merci de m'avoir montré ce paradis, même si nous savons toi et moi que le paradis fini toujours par être gagné par la gangrène. C'est écrit.

Je te remercie, merci, encore merci, d'avoir fait autant d'efforts.

Au moment de partir je te confie mon œuvre, insignifiante, une sélection maigrelette et mort-née. Des symboles stupides, de l'encre sur du papier – rien de plus. Rien d'autre. Un simulacre de néant. Brûle-le, jette-le, donne-le aux poules bébêtes et dociles qui semblent se satisfaire de leur idiotie ; disposes-en comme *bon te semble. Ma malédiction a fini par avoir raison de moi.*

Avec mon amour, je tire ma révérence.

Romy Landau.

Sous la lettre, une autre feuille de papier. Quatre lignes tapées à la machine. Que j'ai lues aussi.

Fortifiée par le rire,
galvanisée par l'amour,
je suis de toute éternité
contenue dans tes atomes.

Lorsque j'ai levé la tête, Dulcie sanglotait silencieusement. Le visage froissé comme un mouchoir, les épaules agitées de tremblements, à croire que son corps expulsait enfin le chagrin emmagasiné, infectant petit à petit son organisme à la façon d'un poison à libération lente depuis cette journée d'avril, plus de six ans en arrière. Il avait trouvé un exutoire.

Immobile, j'ai tenu la lettre à bout de bras. Je n'avais pas encore les outils nécessaires, émotionnellement, pour faire face à pareille situation. Du coup, je suis resté planté là, dans la cabane baignée de soleil, pétrifié, offrant autant de réconfort qu'un meuble, et j'ai laissé Dulcie, qui donnait l'impression de s'être tassée, pleurer jusqu'à ce que les spasmes cessent.

Une fois calmée, elle tamponna une paupière de sa manche, puis l'autre, et balaya l'atelier du regard. Lorsque ses yeux se posèrent sur l'un de mes chiffons graisseux elle se moucha dedans, par trois fois, avec énergie. Ensuite, elle se recoiffa puis rajusta son chapeau, une sérénité absolue sembla s'emparer d'elle. Elle se redressa de toute sa hauteur et j'ai cru qu'elle émergeait d'un sommeil profond et réparateur. Enfin, elle sourit.

« Bon, très bien. Je me sens beaucoup mieux. En pleine forme, je t'assure. Une bonne vidange, il n'y a que ça de vrai ; je renais à la vie.

— Je suis désolé, Dulcie. Désolé pour Romy, la lettre, et tout le reste.

— *Désolé* ? Je ne pleure pas parce que je suis éperdue de chagrin, je pleure face à tant de beauté, de poésie et de génie manifestés dans le dernier geste d'un esprit inégalable. Je pleure parce que je savais qu'elle ne m'abandonnerait pas. Pas vraiment. »

Paupières closes, elle récita les vers qu'elle n'avait pourtant entendus qu'une seule fois : « "Fortifiée par le rire, / galvanisée par l'amour, / je suis de toute éternité / contenue dans tes atomes". Parfait. La perfection, ni plus ni moins. »

Elle rouvrit les yeux.

« Tu avais peut-être raison depuis le début, Robert.

— Raison sur quoi ?

— Sur *Au Large*.

— Dans quel sens ?

280

— Qu'as-tu dit, déjà ? Que tu trouvais les poèmes formidables et que d'autres personnes auraient peut-être le même sentiment ? Si simple, et si vrai. C'est ton cœur qui a parlé, et il faut toujours écouter son cœur. Possible que le monde soit prêt pour l'œuvre suprême de Romy.

— Toi aussi ?

— Oui, souffla-t-elle. Moi aussi.

— Tu veux dire que tu comptes le faire publier ?

— Je vais m'y efforcer – avec ton aide.

— Sauf que je ne connais rien à la poésie, ni à l'édition.

— Tu t'y connais plus qu'avant et tu es trop impliqué à présent, tu ne peux pas te défiler. Tu as fait l'essentiel : tu as ramené le livre – et tu m'as ramené moi – à la vie. Ensemble, nous sommes deux accoucheuses, et nous devons nous assurer que cette naissance se passe le mieux possible. Ne te fais aucun souci : je m'occupe des détails. »

— C'est formidable, Dulcie, ai-je répondu, la mine réjouie.

— Un petit détail – celui-là, j'aimerais me le garder. »

Elle me prit un poème des mains et l'étudia quelques instants.

« Celui-ci est pour moi, et moi seule. Sans doute est-ce pur égoïsme de ma part, mais il faut que je garde un souvenir de Romy, rien qu'à moi. Toi, mets ces quatre vers sous clef et ne les révèle à personne, jamais. Garde-les au-dedans de toi. »

Et c'est ce que j'ai fait – jusqu'à aujourd'hui.

Cette nuit-là, il se produisit un changement dans l'atmosphère. Au réveil j'ai découvert de la buée qui ruisselait, miroitante, le long du carreau et les volutes de vapeur que produisait mon haleine sous ma couverture à chaque fois que je bâillais.

Le vent ne venait plus de la même direction et l'air était devenu tranchant. Comme une lame. Avec un goût d'humidité et de noix. Nous approchions de l'intersaison, où flottaient des relents de fumée et de putréfaction, où les oiseaux construisaient leur nid et les feuilles se racornissaient. Le temps de l'abondance promis par un été qui semblait éternel à ses débuts arrivait à échéance, comme chaque année, alors qu'il avait réussi à me convaincre, un temps au moins, en usant de je ne sais quels arguments, que cette fois-ci l'issue serait différente. Alors que le confort et l'amollissement risquaient de provoquer une accoutumance et que chaque journée était définie par une exquise indolence, les vents qui se levaient apportaient à présent l'avant-garde de l'automne. Nous étions entrés de plain-pied dans les jours moribonds.

Le royaume animal avait déjà entamé ses préparatifs.

Il faisait froid dans l'atelier. Blotti dans les profondeurs de ma couverture, je me suis recroquevillé sur moi-même. Le premier rouge-gorge de la saison se posa sur l'appui de la fenêtre et m'observa, curieux, la tête inclinée.

La prairie m'apparut changée elle aussi, moins agitée de cette vie trépidante, plus posée. Elle semblait ramassée sur elle-même, un peu larmoyante, et pourtant résignée à son sort et mûre pour le pourrissement automnal. Elle était disposée à accueillir la mort qui approchait, tout le contraire de moi. Aiguillonnés par l'instinct de leurs ancêtres, les oiseaux s'affairaient.

Naïf que j'étais, je n'avais pas une fois envisagé que mon séjour dans cette cabane au cœur d'une prairie près d'une fermette dominant la baie dans cette région verdoyante et féérique du Yorkshire pouvait prendre fin. Cette perspective avait occupé un recoin de mon esprit qui se laissait distraire par un rien, à la façon d'une ombre furtive, et voilà que, pour la première fois en seize années de ma courte vie, une question s'imposait à moi : à quoi bon vivre ?

J'ai enroulé le sac de couchage et la couverture, j'en ai fait un petit paquet que j'ai ficelé, puis j'ai empilé soigneusement les livres que m'avait prêtés Dulcie, fier de les avoir arpentés avec la persévérance d'un fermier stoïque qui laboure un champ criblé de cailloux, de racines et de pierres, plein de la certitude satisfaite que son labeur portera ses fruits.

La valise qui contenait les poèmes tapés à la machine attendait sur l'appui de la fenêtre. J'ai regardé la prairie une dernière fois, la mer à distance, le large, où reposait la dépouille de Romy, et médité sur l'idée que ses vers que j'avais sous les yeux seraient bientôt à la disposition du monde entier. Et bientôt, cet endroit – cet Éden foisonnant, fertile – ne serait plus un secret non plus, et qu'on en ferait un sujet d'analyses et d'études approfondies, un lieu de pèlerinage et de mémoire.

Bientôt, *Au Large* franchirait l'horizon et s'aventurerait dans l'immensité de l'inconnu.

Comme il faisait trop frisquet pour petit-déjeuner dehors, nous nous sommes contentés de pain grillé et de confiture au salon.

Réduites à l'impuissance, les orties dépérissaient, bouquets brunis et inoffensifs sur leur petite concession funéraire. « Avec quoi vas-tu faire ton thé maintenant ? ai-je demandé à Dulcie en les montrant du doigt.

— J'ai pensé à une alternative, répondit Dulcie. La menthe me paraît être un choix évident, et je n'arrive pas à m'expliquer pourquoi je n'y ai pas pensé plus tôt. Ou des racines de pissenlit, peut-être. Je vais m'amuser, à chercher ce qui fonctionne et ce qui ne fonctionne pas. Infect, à ton avis ? »

J'ai éclaté de rire. « Plutôt infect, je dirais. »

Nous sommes restés assis en silence, il n'y avait pas grand-chose à dire. Pas besoin d'échanger le moindre mot pour savoir que l'heure avait sonné.

Même Majordome semblait avoir flairé l'imminence de mon départ. Éternelle vigie, il avait pris place à côté de moi et, de temps à autre, me frôlait le poignet – poignet sur lequel il se serait jeté quelques semaines plus tôt comme sur une friandise convoitée – de sa truffe froide et humide.

J'ai porté tasses et assiettes à la cuisine puis, désœuvré, je suis resté planté dans l'encadrement de la porte, mal à l'aise, en me dandinant.

« Merci de m'avoir ouvert ta porte. Tu m'as beaucoup appris.

— Balivernes, » lâcha Dulcie avant de me tourner le dos et de dégager la vaisselle sale de l'évier pour la replacer sur la table. Elle évitant soigneusement mon regard. « Dis plutôt que je t'ai gardé en otage. »

J'ai mis dans l'évier des casseroles auxquelles Dulcie réserva le même sort qu'aux tasses et assiettes. Me revint alors en mémoire son adage concernant la vaisselle.

« Pas du tout. Ces histoires que tu m'as racontées, ces repas que tu m'as préparés. Sans oublier les livres. J'avoue, je n'en ai pas compris une bonne partie mais j'ai passé de très bons moments. Et j'ai énormément de chance d'avoir pu lire les poèmes de Romy. Je n'aurais pas vécu ces choses-là si je ne t'avais pas rencontrée. »

Dulcie quitta la cuisine et s'engouffra dans la pièce voisine.

« Non, lança-t-elle depuis le salon, en forçant la voix. Tu aurais vécu d'autres choses grâce à d'autres personnes. D'autres expériences. Mais je ne suis pas assez mufle pour rejeter un compliment qui vient du cœur. Note simplement que ce que tu as appris, tu l'as appris toi-même. Mon rôle s'est limité à te montrer la direction à prendre. »

Lorsque je me suis rendu au salon pour voir ce qui s'y tramait, Dulcie se tenait à la fenêtre et elle regardait la prairie. Elle me fuyait.

« Tu es trop modeste, ai-je dit à voix basse.

— Je suis sans doute beaucoup de choses, rétorqua-t-elle sans se retourner, mais modeste, certainement pas. Par ailleurs, il s'agit d'un échange de bons procédés : tu retapes la cabane, je te nourris. Sans toi la prairie aurait fini par m'engloutir et... » Dulcie s'interrompit. « Eh bien. Disons que tu en as fait beaucoup, même si tu ne t'en rends pas compte, car tu as redonné vie à plus d'une personne. »

Elle pivota sur ses talons, me vit rougir et détourna les yeux. Pour observer le tapis, les photos – Romy – fixées au mur. Puis, de nouveau, la fenêtre.

« C'est vrai. Tu peux piquer tous les fards que tu veux, mais tu as apporté ta contribution à l'histoire de la littérature, Robert.

— Qu'est-ce que tu vas faire avec les poèmes ?

— Demain je me rendrai à Whitby pour les faire copier en plusieurs exemplaires que j'expédierai par poste de nuit à l'éditeur de Romy, qui m'écrit deux fois l'an pour poliment demander si je garde par-devers moi de ces œuvres inédites qui font le terreau de rumeurs et de spéculations. Je n'ai jamais donné suite jusqu'à aujourd'hui – laisser cet enfoiré mariner, c'est ma philosophie depuis toujours. Mais le moment est venu, je le crois sincèrement. Nous allons signer un petit contrat sympathique qui donnera satisfaction à tout le monde. Évidemment, l'argent n'est pas ce qui nous motive, mais cinquante-cinquante sur les droits d'auteur, cela te convient-il ?

— Si cela me *convient* ? »

Dulcie m'avait servi ce monologue sans détacher les yeux de la prairie, mais elle finit par se retourner et planta son regard dans le mien, la première fois de la discussion.

« Oui. Cinquante pour cent, ça te va ? D'abord, avant que tu protestes, laisse-moi préciser que la poésie se vend aussi bien que les insignes avec un aigle en fer dans le quartier juif de Stamford Hill. Autrement dit, cela n'intéresse pas grand monde et on n'en tire à peu près rien. Pour ma part je suis d'avis que l'œuvre de Romy est inestimable, je t'en donne une part et tu n'as pas ton mot à dire là-dessus. Et j'ajouterai même quelques bocaux de miel au contrat.

— Dans ce cas, j'accepte, dis-je avec un grand sourire et sans saisir pleinement la portée de cette offre par laquelle Dulcie me désignait en pratique, et sur un ton désinvolte, comme unique bénéficiaire et exécuteur.

— Quoi qu'il arrive, Robert, mords la vie à pleines dents. Voyage. Visite l'Europe, au moins, tant que c'est encore possible, parce que très bientôt un autre va essayer de la détruire, comme le précédent. Et Dieu m'en est témoin, ils aiment embringuer la jeunesse dans leur merdier. »

Nous sommes restés ainsi quelques instants, puis j'ai ramassé mon paquetage et quitté la maisonnette, descendant le sentier qui conduisait à mon avenir, le soleil fraîchissant dans mon dos.

Je ne me suis pas enfoncé vers le sud.

Non, c'est la direction du nord que j'ai prise, pour retourner au seul endroit que je connaissais.

C'était la période des moissons et, en chemin, j'ai vu le déclin de l'été dans sa splendeur dorée.

J'ai longé des champs où des hommes et des femmes s'épuisaient à ratisser les fétus et le foin pour en faire des andains, empiler des bottes et façonner des meules sur les charrettes. Des groupes de saisonniers profitaient de leur pause pour se nourrir de pain, de fromage et d'oignons crus croqués comme des pommes. Souvent je faisais halte et je leur proposais mes services, ici et là on m'embauchait une journée ou deux, et cette fois j'étais plus costaud, plus résistant, plus endurant, et j'ai eu droit à des repas copieux en échange de mes efforts. Mon appétit semblait plus insatiable que jamais et pourtant, chaque soir, je m'endormais dans une étable ou une bergerie sur un matelas de foin avec l'estomac qui gargouillait.

J'ai vu dans les vergers des arbres dont les branches ployaient sous le poids de fruits bientôt assez mûrs pour la cueillette, et cette générosité finirait sur des tartes ou à l'intérieur de tortillons de papier en prévision de l'hiver, ou au pressoir communal pour donner du cidre. J'ai vu le lent virage qu'amorçait la saison, le desséchement progressif. La rosée au point du jour qui s'attardait, les insectes moins nombreux, plus léthargiques aussi. J'ai senti une raideur s'installer dans mes genoux, dans mes chevilles et dans mes hanches, tandis que mes brodequins réclamaient à cor et à cri des semelles neuves. L'une tenait grâce à une longueur de ficelle, de celle dont on se sert pour nouer les bottes de paille.

Le vent qui soufflait des terres apportait de nouvelles odeurs. Fumée des feux de bois, humus, fruits à pleine maturité. Les ronces étaient en grande partie chargées de mûres déjà gâtées, les somptueux joyaux de l'été ayant perdu leur éclat, réduits au moindre contact en une bouillie dont se repaissaient des guêpes somnolentes assommées par la fermentation à ses premiers stades. Des voiles de la plus fine mousseline s'accrochaient aux tiges entremêlées ; les araignées en avaient désormais fait leur repaire, même si un soir le hasard mit sur mon chemin des fraisiers sauvages et j'ai été ravi de profiter de ce qui était sans doute la dernière cueillette de l'année. Bientôt, les gelées matinales régleraient leur sort. J'ai passé la nuit à déloger des graines coincées entre mes dents et, au petit jour, je me suis mis debout, je me suis étiré et j'ai poursuivi ma route.

Un beau jour, les tours de la cathédrale surgirent devant moi, citadelle en pierre jaillissant de la voûte des arbres pour transpercer le firmament et exhausser l'âme de ceux qui avaient posé les yeux dessus, et j'ai su que je n'étais plus qu'à une petite journée de marche de chez moi.

J'ai traversé le village sans être reconnu. Coupés à ras au printemps, mes cheveux noirs, devenus longs et épais, formaient désormais des anglaises emmêlées par le sel et mon teint avait pris la couleur du miel que Dulcie ne tarderait pas à récolter dans la prairie, et j'avais pris du muscle, si bien que mes vêtements semblaient appartenir à un autre, un homme plus petit, plus frêle. J'ai salué des connaissances d'un hochement de tête et reçu en réponse, plus d'une fois, ce regard soupçonneux, les yeux mi-clos, réservé aux étrangers qui s'étaient risqués dans ce petit univers mystérieux et isolé des houillères ravagées par la guerre, comme tant d'autres endroits, mais toujours dédiées à l'extraction du précieux anthracite au fond des entrailles de la planète sans âge.

En septembre, je me suis présenté à la mine. Pourtant, ce ne furent pas une lampe et un casque de mineur qu'on me tendit : mon père, ayant peut-être fini par admettre que je n'étais pas fait pour cette vie-là, et briguant en mon nom un poste moins périlleux que celui qu'il avait occupé durant quatre décennies au front de taille, s'était débrouillé pour me placer comme apprenti dans les bureaux en surface. J'avais décroché de bonnes notes aux examens – meilleures, sans doute, que celles qu'on attendait d'un gamin qui avait la tête dans la lune – mais c'était une situation convoitée qui n'était que rarement à pourvoir et qu'on attribuait d'ordinaire au rejeton du directeur de la mine, qui s'y accrochait des années durant. Des décennies, même.

J'étais censé éprouver de la reconnaissance. Un poste administratif ne présentait aucun danger, jusqu'ici personne n'avait fini écrasé dans la chute d'une montagne de paperasse ou éparpillé façon puzzle en buvant du thé et en remplissant des fiches de paie dans le confort d'un bureau bien chauffé par une froide journée d'hiver au nord-est du pays.

Mais personne non plus n'a jamais trouvé l'aventure dans les registres et les classeurs. La perspective d'occuper toute ma vie le même poste me glaçait les sangs et, à chaque fois que je l'envisageais, ou que je lisais la fierté dans le regard de ma mère au moment de m'asseoir à la table du dîner, j'étais broyé par une sorte de panique existentielle aussi violente, j'imagine, que celle qu'éprouve un prévenu quand il apprend qu'on l'envoie en prison à perpétuité.

Comment rester assis entre quatre murs alors qu'il y avait toute une vie à vivre dehors, une vie que d'autres vivaient en cet instant même ?

J'ai tenu bon et j'ai mis de l'argent de côté, me forçant chaque jour à manger le contenu insipide de ma gamelle, poussé chaque soir dans l'air froid par le hurlement de la sirène. L'automne arriva, les feuilles tombèrent et le soir je sortais me balader par les sentiers et les champs labourés autour du village, mais je trouvais à présent ces sentiers sans intérêt et ces champs mornes, stériles et purement fonctionnels. Je regagnais la maison précédé par mon haleine, mes brodequins lestés de mottes de boue noircie, et je me retirais dans ma chambre avec un recueil de poésies.

Je m'étais inscrit à la bibliothèque locale et, arrivé assez vite au bout de leur maigre sélection de poètes, j'ai pris l'habitude de commander d'autres titres. J'avais attrapé le virus et la bibliothécaire était plus qu'heureuse de me faire plaisir.

Un dimanche, j'ai parcouru à pied les kilomètres qui me séparaient de la mer. À ma grande tristesse, je n'ai trouvé qu'une étendue grisâtre, une soupe d'eau saumâtre et de poussière de coke ; quant à la plage, c'était une bande rugueuse, noircie par le charbon, ponctuée par endroits d'un moignon en bois flotté aussi blanc qu'un os nettoyé, où les cris stridents des mouettes sonnaient comme des coups de semonce à l'adresse des intrus.

L'éclairage insuffisant dans les bureaux de la mine et les heures de lecture la nuit au lit, voûté sous mes couvertures avec une lampe-torche, me causaient migraine sur migraine.

Ensuite vint l'hiver. Il arriva porté par le vent d'est et battit des records de froid. La neige tomba sans discontinuer et il y eut quelques jours où la lumière fut aveuglante et le village résonna du piapiatage surexcité des enfants, mais les températures devinrent polaires et, en peu de temps, tout se contracta, tout se pétrifia. Le sol, les canalisations d'eau chaude.

La neige s'amoncela et sur les hauteurs, les moutons périrent par troupeaux entiers dans cet océan de blancheur, leurs cadavres roides enfouis sous des congères. La livraison des denrées alimentaires n'était plus assurée, le village se retrouva coupé du monde ; nous avons dû faire durer plus longtemps nos coupons de rationnement, certains jours nous contenter de thé et de crêpes. Les vaches commencèrent à mourir dans les étables, affamées, tout comme des milliers de poulets dans les élevages. Même les mines baissèrent le rideau et, très vite, le charbon manqua pour alimenter les centrales. On se serait cru encore en guerre, voire dans une situation plus calamiteuse. Les gens à la tête du pays étaient en plein désarroi et Noël se fêterait les placards vides.

La neige nous réduisit au silence.

Je tuais le temps en pelletant et en veillant sur les plus âgés de nos voisins mais, en dehors de cela, je ne m'éloignais que rarement de l'âtre, je buvais du thé, je lisais et, de temps en temps, je jetais sur le papier des ébauches de poèmes. Il n'y avait rien à faire, à part attendre la fin de l'hiver et espérer des jours meilleurs.

Je pensais souvent à Dulcie, à Romy aussi, et quand la neige se mit à fondre, annonçant la réouverture de la mine, je suis retourné au travail à reculons en me demandant si c'était cela, être adulte, et si j'allais devoir éternellement me contenter d'une vie et d'un univers aussi limités.

Un jour, alors que la neige finissait de se liquéfier et que les routes redevenaient praticables, on me livra une grande caisse que ma mère réceptionna.

Quand elle souleva le couvercle elle découvrit, stupéfaite, une oie bien grasse qui lui retourna son regard. Elle installa le volatile dans le jardin et, à mon retour du travail, me conduisit à lui. La nouvelle venue ne semblait pas perturbée outre mesure par son environnement.

Collé à l'intérieur de la caisse un paquet plat, protégé par plusieurs feuilles de papier paraffiné, m'était adressé.

Alors que je déballais le paquet une enveloppe tomba, calée entre deux couches. Noël était déjà de l'histoire ancienne mais il s'agissait bien d'une carte de vœux qui contenait le message suivant, écrit à la main en caractères amples et indomptés :

Avec du retard
à toi et aux tiens
de ma part, et de la part des miens

J'ai poursuivi mon déballage et, la dernière feuille de papier ôtée, j'ai mis à jour un fin volume, reliure décorée, couverture gaufrée. Le tournant et le retournant, j'ai admiré la tranche, puis la page de garde. Une pure merveille.

Au moment de l'ouvrir, les battements de mon cœur s'accélérèrent. Face au titre, j'ai trouvé en frontispice une illustration admirablement détaillée qui représentait l'atelier de Dulcie à ses débuts. Tout autour la prairie et, au loin, restituées avec précision et talent, la baie et la mer. Jusqu'au chien qui gambadait dans les hautes herbes. Majordome.

Passant à la page suivante, j'ai lu :

Au Large
de Romy Landau

Dessous, imprimé en plus petit :

édité
par Dulcie Piper & Robert Appleyard

Je n'en croyais pas mes yeux. Survolant la table des matières, j'ai feuilleté le livre, jadis liasse de feuillets négligée qui prenait la poussière dans une bicoque lentement grignotée par le paysage et les intempéries.

Tandis que le papier qui craquait, massicoté de frais, voletait entre mes doigts, des passages me sautaient aux yeux comme des amis familiers revenus me voir et quand je suis retourné au titre pour lire mon nom une seconde fois, je me suis aperçu que je retenais mon souffle.

Elle avait tenu parole. Dulcie Piper avait réussi. *Au Large* était devenu un livre. Elle avait trouvé un éditeur et, non seulement cet objet était plus beau que tout ce que j'avais pu voir jusqu'alors, mais, en prime, mon nom figurait à l'intérieur.

J'ai regardé ma mère, j'ai regardé l'oie, l'une et l'autre m'ont rendu mon regard.

Et j'ai souri.

La région reverdissait mais ce n'était pas encore cette forêt vierge que j'avais quittée au cours des jours mourants de l'été passé.

J'avais tenu sept mois à la mine en tant que commis de bureau et adhérent d'un syndicat. Malgré les nombreuses journées chômées durant cet hiver froid et cruel, cette période de gestation avait été assez longue pour catalyser en moi un sentiment d'asphyxie et d'oppression, auquel s'ajoutait une méfiance vis-à-vis de l'autorité qui persiste encore aujourd'hui.

J'avais très vite compris que si je ne prenais pas des décisions drastiques j'allais moisir toute ma vie dans cette pièce sinistre, et, si avoir été témoin d'une guerre, même à bonne distance, considérée par les adultes comme une sorte de jeu étrange qui avait dégénéré, m'avait appris une chose, c'est que la vie est courte, et qu'on n'en a qu'une. Par conséquent, à l'approche de Pâques – sourd aux prières de mes parents, qui ne cachèrent pas leur déception, et indifférent aux réactions des villageois qui risquaient de considérer comme une insulte personnelle le fait que je décline une place privilégiée par rapport à ceux qui risquaient leur vie à plusieurs centaines de mètres sous terre – j'ai démissionné. À l'âge de dix-sept ans, j'ai tourné le dos à la servitude.

Et j'ai eu du flair. À peine deux mois plus tôt une affiche était apparue sur les grilles, annonçant que l'industrie minière britannique serait intégralement nationalisée afin de régler le problème de « l'oisiveté », pour reprendre les termes officiels, qui imprégnait ces journées fracassées durant lesquelles le pays se remettait de la guerre. L'implacable hiver balte avait aussi effrayé le secteur et le tout jeune Office national du charbon serait chargé de superviser la gestion des exploitations minières.

La conviction nourrie de longue date que jamais le charbon ne viendrait à manquer – et qu'il faudrait toujours, par voie de conséquence, de la main-d'œuvre pour le sortir de terre – servait de socle à mon village. Certains d'entre nous, pourtant, sentirent le vent tourner. Même si les investisseurs finançaient de nouveaux forages et la mécanisation des méthodes d'extraction, le chapitre final était en cours d'écriture. L'industrie se contractait. Une agonie longue et lente.

Et je me suis félicité d'avoir trouvé la porte de sortie.

Une nervosité inattendue s'empara de moi lorsque le sentier s'enfonça abruptement dans une cuvette ombragée d'où émergea la maisonnette de Dulcie. Quelques secondes plus tard je fus rejoint par Majordome, qui vint à ma rencontre de sa démarche élégante et ouatée, hors d'haleine, et je l'accueillis accroupi en le serrant contre moi, fort, et en lui faisant l'offrande du dernier de mes biscuits rassis.

Et elle était bien là, elle aussi, Dulcie Piper, dans son jardin, telle que je l'avais laissée. Elle rabattait des arbustes.

« Ah, te voilà. J'imagine qu'il va falloir que je mette la bouilloire à chauffer. Du cynorrhodon, ça te va ?

— Du cynorrhodon ?

— Oui, pour le thé. Je sais ce que tu penses : par quel prodige cette vieille bique a-t-elle mis la main sur des baies d'églantier quand il est de notoriété publique qu'elles se récoltent exclusivement en automne et en hiver, mais… »

Avec un clin d'œil de conspiratrice Dulcie se tapota l'arête du nez.

« Moi qui me réjouissais à l'avance de retrouver ton thé d'ortie, » ai-je répliqué.

Elle fit mine de cracher. « Pouah, une abomination.

— Mais je pensais que tu en raffolais.

— Moi, en raffoler ? Eh bien, désolée de te l'apprendre, mais il va falloir que tu cueilles tes propres orties, si c'est d'orties que tu as envie.

— Ça fait plaisir de te voir, Dulcie. Plaisir de revenir.

— Ça me fait plaisir de te voir aussi, Robert. Et plaisir de t'accueillir de nouveau. Majordome est ravi aussi, je n'ai aucun doute là-dessus. »

La prairie était redevenue une jungle, les graines et le soleil avaient réduit à néant le travail fourni l'été d'avant. Après avoir traversé l'un des hivers les plus froids jamais enregistrés, elle était de nouveau indomptée, sauvage.

À cet instant, j'ai découvert que l'enchevêtrement de ronces et de mauvaises herbes qui faisait autrefois écran tout au fond avait été taillé de manière radicale et qu'on jouissait désormais d'une vue imprenable sur la baie et sur l'eau au-delà.

Dulcie me vit admirer cette perspective dégagée.

« Je me suis dit que le temps était venu de pardonner aux tumultueuses profondeurs salines », déclara-t-elle.

Nous avons bu le thé face à la mer tandis que je retraçais dans les grandes lignes ma carrière abrégée d'employé de bureau, ma démission récente et mon nouveau régime de lectures. On aurait cru qu'une journée ou deux s'étaient écoulées depuis ma première visite, pas un automne moribond, et que cet interminable hiver cafardeux avait été une gifle cinglante au visage de ceux qui espéraient une vie plus facile dans le sillage de la guerre.

J'ai parlé longtemps et Dulcie écouta sans intervenir une seule fois.

« On dirait que tu t'es bien débrouillé, Robert, et que tu l'as échappé belle. J'approuve pleinement. On surestime énormément le travail. Il va sans dire que certaines professions sont essentielles, mais trop de gens sacrifient leur vie à un métier pénible et ingrat. Pour ma part je donne priorité au plaisir, toujours. D'ailleurs écoute-toi, on ne t'arrête plus.

— Comment ça, on ne m'arrête plus ?

— Cet été il a fallu quasiment une semaine pour t'arracher une parole et regarde-moi cette pipelette, pas moyen d'en placer une. Intarissable. Ce que je veux dire, c'est que tu es devenu toi-même. Tu restes quelques jours, j'espère ?

— Ça me ferait très plaisir.

— Bien, parce que j'aimerais te montrer quelque chose. »

Ouvrant la voie à travers le taillis, Jojo nous guida vers l'atelier. L'endroit n'avait pas beaucoup changé depuis mon départ, en dehors d'un détail : fixée à la porte, une grande plaque en bois sur laquelle était gravée la lettre R.

« En hommage à Romy, ai-je soufflé.

— Et à toi, Robert, répondit Dulcie en me tendant une clef.

— À moi ?

— Bien sûr. Tiens… » Pressant la clef dans ma paume, elle m'invita à l'utiliser.

Je l'ai insérée dans une serrure neuve et, poussant la porte, j'ai posé le pied dans une pièce complètement meublée. L'atelier était méconnaissable. Un lit en fer forgé, une petite table à abattant, une lampe standard, des tapis, des peintures à l'huile et une étagère sur mesure qui courait en hauteur sur les murs et alignait des livres par centaines. Sur la table, une machine à écrire, noire et massive.

Le poêle à bois, nettoyé et restauré, n'avait pas changé de place et, à côté, une double plaque chauffante était posée sur un buffet qui contenait ustensiles, casseroles, assiettes, couverts, etc. Dans un placard, quelques denrées de première nécessité et, alignés sur l'appui de la fenêtre, six énormes bocaux qui renfermaient un miel foncé, presque iridescent, dont étaient prisonnières de petites bulles d'air traversées par les rayons du soleil.

« Alors ? »

J'étais frappé de stupeur, la langue comme nouée.

« C'est toi qui as fait tout ça ?

— Il fallait bien que je me désennuie durant l'hiver. Par ailleurs, tu t'étais déjà chargé du plus gros. Je me suis bornée à ajouter mon coup de patte. Elle est à toi.

— À moi ?

— Tu pourras séjourner ici chaque fois que l'envie t'en prendra. Ainsi, quoi que tu fasses de ta vie, ou si tu décides d'emprunter un chemin de traverse, tu auras toujours l'assurance d'avoir un toit au-dessus de ta tête. Je l'ai ajouté au titre de propriété. Désormais, l'atelier est à ton nom. La maison pourra tomber en ruines, mes os pourriront dans la terre humide de l'Angleterre, mais toi, tu auras toujours un point d'ancrage.

— Je ne sais pas quoi dire.

— Ne dis rien. »

Balayant la pièce du regard, j'ai senti que je ne me voyais pas vivre ailleurs. Une question, pourtant, me brûlait les lèvres.

« Moi aussi, je suis une façon que tu as trouvée de te désennuyer, Dulcie ?

— Quelle grossièreté, Robert.

— Alors ?

— Donner un coup de pouce à ceux que je me sens disposée à aider, c'est mon boulot. Un mécène a son utilité.

— Cet endroit a dû coûter...

— Une goutte dans l'océan. En réalité, il m'a coûté une bouchée de pain car j'ai le plaisir de t'annoncer qu'*Au Large* se vend comme des caramels au beurre un jour férié. Figure-toi que c'est la poésie intemporelle de Romy

Landau qui a couvert toutes ces dépenses – les droits de publication et de reproduction se sont avérés à eux seuls substantiels. Mais c'est tellement vulgaire de parler argent. Penchons-nous plutôt sur l'abondant nectar ambré dont nous ont fait présent, bien entendu, ces chères amies que tu as détachées de leur branche avec tant d'audace et de bravoure. Tu te souviens ? »

Prenant à la main un bocal de miel, je l'ai admiré à la lumière.

« Bien sûr que je m'en souviens. Je ne sais pas quoi dire, Dulcie, ai-je répété.

— Un simple merci suffira.

— Merci.

— Tu n'as pas à me remercier. »

Un sourire. « Compris. Je retire mon merci.

— Un petit creux, j'imagine ? »

J'ai répondu par l'affirmative.

« Tant mieux, car j'ai mis un poulet au four rien que pour toi. Je l'ai ligoté avec une demi-livre de poitrine fumée et je lui ai fourré de la sauge et de la farce, en quantité égale, dans le troufion. J'espère que tu as faim.

— Qu'est-ce qui t'a mis la puce à l'oreille pour ma visite ? »

Dulcie haussa les épaules. « La sève qui monte et le vent qui apporte à nouveau le parfum estival de l'ambroisie. Je savais que tu reviendrais.

— Pile aujourd'hui ? »

Elle chassa ma question d'un revers de la main. « Un jour ou l'autre. »

J'aurais été curieux de savoir combien de poulets rôtis Majordome avait trouvés dans sa gamelle au cours des semaines passées.

« Il y aurait du ménage à faire dans la prairie », ai-je dit en lâchant un rot assourdi, repu, avant de lancer en cachette un gros bout de cuisse de poulet à Majordome qui attrapa au vol le morceau luisant de gras, de la joie au fond de ses yeux noirs.

« Oui, je me suis limitée à tailler les branches qui me bouchaient la vue, reconnut Dulcie. Pas facile quand on est une vieille bique, quand on est seule, et quand le sol est gelé. Et vieillir, c'est tellement rasoir. Évite coûte que coûte, je te le conseille.

— Mais tu n'es plus seule. »

Dulcie claqua de la langue.

« Je vais te payer, bien entendu.

— Pour quoi ?

— Pour le coup de balai. »

J'ai ri. « Tu sais bien que ce n'est pas nécessaire. C'est un service que je te rends.

— Au fait, tu m'y fais penser, j'ai failli oublier. »

Dulcie quitta sa chaise et regagna la maison. À son retour, elle avait à la main une enveloppe qu'elle posa sur la table après avoir poussé l'assiette qui contenait la carcasse du poulet.

« Ta part sur les ventes d'*Au Large*. »

Ouvrant l'enveloppe, j'en ai sorti un chèque. Quatre cents livres. Plus que ce que mon père gagnait en un an.

« Je n'en reviens pas.

— Reviens-en. Un autre chèque tombera, sans doute, quand il sortira en poche à l'automne. Pour l'édition reliée, les critiques ont été très favorables, nous en sommes déjà à la troisième réimpression. Du jamais vu ou presque en poésie contemporaine. Le microcosme littéraire raffole de ces histoires triomphales mâtinées de tragédie – ou vice versa – et pardi, Romy en est l'incarnation parfaite. Maintenant qu'est retombée la poussière de cette guerre absurde, ils cherchent d'autres os à ronger, vois-tu, et une poétesse maudite aux racines germaniques qui écrivait comme un ange et s'est consumée avant de mettre fin à ses jours parce qu'elle refusait de vivre dans un monde ravagé par ses compatriotes, pour eux, c'est du pain bénit. Perdue en mer, mystère éternel. C'est ainsi qu'ils l'envisagent, en tout cas, et je n'ai que moyennement envie de corriger leurs approximations. Que le mythe grandisse, et qu'ils aillent se faire foutre. »

Dulcie leva son verre, j'ai fait de même. Nous avons trinqué.

« Bon, je ne me permettrais pas de te dire comment dépenser ce pécule, comme jamais je ne me permettrais d'interdire à un clochard de placer les quelques pennies dont je lui ai fait l'aumône dans une bonne bouteille de tord-boyaux. Toutefois, accepterais-tu que je plante une petite graine, un germe d'idée ? Un investissement, en un sens.

— Bien sûr.

— L'université. » Elle leva une main. « Non, écoute-moi jusqu'au bout. Je me rappelle tes paroles comme si tu les avais prononcées hier : "Les gens comme moi ne vont pas dans ces endroits-là". Robert, ça m'a fendu le cœur. L'idée que tu te sentes, d'une certaine façon, inférieur aux dandys, aux feignasses et à ces blasés de la vie parmi lesquels j'ai grandi est un impardonnable non-sens que nous devons résoudre sur-le-champ. Si nous voulons que les choses changent, il faut que ce changement vienne de l'intérieur, et par là je veux dire que t'inscrire à l'université te permettrait d'une part, de raffiner le diamant brut qu'est ton intelligence, d'autre part, d'entrouvrir la porte à tes congénères. Un pas modeste, j'en conviens : les barrières ne peuvent être abattues toutes d'un coup. Imagine, peut-être qu'un jour, au pic du succès, il te sera possible de rendre cette faveur à un petit jeune méritant.

— Je ne saurais par où commencer.

— Je vais t'aider.

— Et si je n'ai pas les diplômes qu'il faut ? »

Dulcie protesta d'un mouvement de tête. « Il existe des moyens. Fais-moi confiance là-dessus. Des dérogations. Des bourses. J'ai lu récemment qu'il serait question de réformer de fond en comble le système des études supérieures et d'instaurer sous peu un nouveau type de diplôme qui servirait de sésame à l'université. Ils effacent l'ardoise et ils ouvrent le terrain de jeu à tous les concurrents, si tu me passes ce double poncif. Je suis certaine qu'il y aurait moyen de te les faire passer en accéléré. Abordé avec diligence, un garçon aussi vif d'esprit que toi, aussi avide d'apprendre, sera forcément accueilli à bras ouverts. Crois en toi, Robert, la foi suffit. À moins que cela ne t'intéresse pas, bien entendu.

— Si, ça m'intéresse. Enfin, je crois. »

Dulcie se mit debout et entreprit de débarrasser la table.

« Réfléchis pendant que je vais chercher le dessert. Pas de précipitation. Tu es en vacances. Mais oui, laisse à cette idée le temps de mûrir.

— J'ai toujours du mal à comprendre pourquoi tu es si généreuse avec moi, Dulcie.

— Je te l'ai dit, c'est mon boulot. Et peut-être qu'un jour, tu prendras la relève. »

Je m'adosse à ma chaise. Mal au cou. La douleur est toujours là, elle irradie, sur le côté, cela fait des mois qu'elle ne me lâche pas. Je gobe des antidouleurs comme on gobe des bonbons, sans résultat. Les pilules, il y en a des flacons entiers, n'ont pas pour effet de vaincre la mort.

J'ôte mes lunettes, je me mets debout et je m'étire, puis je me penche sur les mots que j'ai laborieusement tapés et je les étudie, poignets et phalanges endoloris. Je ne suis plus aussi rapide. La vieillesse a tissé des toiles d'araignée dans mes articulations et la maladie m'a ralenti, beaucoup, de manière que je n'aurais jamais soupçonnée, mais la mémoire fonctionne, c'est déjà beaucoup. Ce muscle-là n'est pas encore rouillé.

Même s'il y a toujours une fraîcheur dans l'air, la fenêtre est grande ouverte et un galet ramassé sur la plage me sert de presse-papiers. Dans ce galet est enchâssé un fossile. Une ammonite. Quand je la regarde je me sens jeune, à nouveau. Le temps est une notion subjective et certains jours, immobile, les yeux fermés, connecté à la fréquence de la nature, je retrouve mes seize ans.

De temps à autre, un léger courant d'air fait voleter les pages et me montre, brièvement, une phrase qui me renvoie tout droit à ces moments consignés sur le papier, ces bouleversements, ces changements de cap.

Parce qu'en vérité cette histoire a commencé il y a fort longtemps, ici, dans ce cabanon qui s'affaisse au milieu d'une prairie restituée à la nature. Cet endroit, tu le connais peut-être, grâce aux portraits publiés dans les journaux ou au documentaire qui m'a été consacré après la parution de mon premier roman, encensé par les critiques qui ont applaudi l'entrée en littérature d'une voix nouvelle exprimant la colère du peuple, et qui a fait un tabac en librairie, contre toute attente. Ils faisaient fausse route : je n'exprimais aucune colère. Je me suis contenté de parler de ma propre expérience. En me servant de ma propre langue. La langue que les gens parlaient dans le Nord. Qu'ils parlent encore.

À l'époque, j'avais le temps pour allié. La jeunesse était depuis peu devenue une marchandise comme une autre et, apparemment, je rentrais dans le moule – le porte-parole de la génération à venir et des laissés-pour-compte, excusez du peu. Alors que je n'ai fait que jeter sur la page les choses telles que je les voyais et les entendais autour de moi, au village. Brosser le portrait des membres de ma communauté, voilà tout. Cela n'allait pas plus loin. Que le milieu londonien ait considéré ce roman, et les nombreux qui allaient suivre, insolites et exotiques, prouvait à quel point il était déconnecté du cœur authentique, ouvrier, d'une Angleterre à l'orée d'une mutation socio-économique. Lorsque le livre fut adapté au cinéma, le fossé devint un gouffre. Mais je n'ai refusé aucune louange, j'ai encaissé chaque chèque et je n'ai jamais oublié Dulcie. Comment l'oublier ?

Pas un été ne s'est passé sans que je revienne à la cabane, même marié, même père, et même longtemps après que Dulcie Piper a quitté sa prairie, d'abord pour s'installer dans un luxueux duplex qui surplombait le parc verdoyant du Stray à Harrogate puis, des années après, pour finir ses jours dans une maison de retraite à la périphérie de York, avant de s'éteindre à l'hôpital. Où qu'elle séjourne, je suis allé lui rendre visite ; jusqu'au bout elle a gardé sa lucidité et son humour vif et mordant. Elle s'est éteinte en refusant de retirer les lunettes de soleil qui lui mangeaient le visage, imbibée de gin.

Tandis que les gouvernements se succédaient, je suis resté fidèle à cet endroit, à la prairie, où j'ai écrit, lu et médité, où je me suis baigné dans l'herbe au clair de lune et où j'ai observé des blaireaux au point du jour. Il y eut des divorces, des décès, la naissance des petits-enfants et toujours, je suis revenu, seul, jusqu'à m'y fixer définitivement, et ma maison, une grande et vieille bâtisse – que je n'ai jamais désignée par « chez moi », contrairement au cabanon – se retrouva vide.

Avec Dulcie postée au-dessus de mon épaule, les mots ont coulé d'une source inépuisable. Je l'entends encore, me donnant des petits coups d'aiguillon, encourageant chacune de mes phrases bancales, m'exhortant à toujours faire mieux. Ainsi, j'ai continué à écrire, m'adressant à un lectorat de plus en plus restreint, il faut le reconnaître, mais mes œuvres arrivaient toujours sur les étals des libraires. Et c'est ce qui compte. Je menais ma vie comme je le souhaitais et comme je le souhaite toujours, malgré ce mal qui me ronge : le temps.

L'air marin, aussi, me fait le plus grand bien. Il aiguise mon appétit et, avec l'appétit, la volonté de vivre se renforce.

Dulcie est ici en ce moment même, dans la cabane, debout derrière moi elle débouche une bouteille et regarde à travers le carreau la prairie, la mer, le large, et le soleil couchant. Parfois je marche jusqu'au petit cimetière et je m'assieds près de sa pierre tombale, parmi les marins et les pêcheurs, conscient que très bientôt je vais les rejoindre dans notre dernière demeure. Peut-être me raconteront-ils leurs histoires, je leur rendrai la politesse.

Bien entendu, ce mode de vie n'a plus court. L'industrie de la pêche à petite échelle a disparu, ou quasiment, et la plupart des habitations par en bas ont acquis le statut de résidences secondaires, elles ne prennent vie qu'aux vacances. Cela ne me dérange pas. Le reste de l'année j'ai la plage pour moi seul. Je l'ai remontée à pied tôt ce matin et j'ai constaté à quel point la côte s'est érodée depuis la première fois où j'ai posé les yeux dessus. Grignotées par la mer, les terres ont reculé d'une dizaine de mètres de mon vivant, et ce n'est que le début. Le pays finira par faire la taille d'un galet avant d'être réduit à néant, comme nous tous. Cela vient nous rappeler opportunément que rien n'est éternel. Tout est mouvement. Et la nature gagne à chaque fois.

Je me rassieds pour taper la dernière phrase de ce récit qui parle de vies libres, envers et contre les limites imposées par des forces considérables.

Voilà mes derniers mots et je les laisse ici, pour toi.

Remerciements

J'adresse mes remerciements à mon agente, Jessica Woollard, ainsi qu'à toute l'équipe de David Higham Associates : Alice Howe, Clare Israel et Penelope Killick. Merci à mon éditrice, Alexa von Hirschberg, qui m'a aidé à façonner et à polir ce livre, avec cette subtilité qui est la sienne. À toute l'équipe de Bloomsbury : Ros Ellis, Marigold Atkey, Philippa Cotton, Rachel Wilkie, Jasmine Horsey. Merci également à Silvia Crompton pour sa révision du texte et à Zaffar Kunial pour ses lumières en poésie.

Les écrivains comptent sur la chance et, pour ma part, je n'en ai jamais manqué. Pour leur soutien et leur encouragement sans faille je souhaite également exprimer ma reconnaissance à Claire Malcolm et à l'équipe de New Writing North. À Kevin et Hetha Duffy à Bluemoose Books. À Carol Gorner et à l'équipe du Gordon Burn Trust. À Richard, Elizabeth Buccleuch et au prix Walter Scott. À Michael Curran chez Tangerine Press. À Jeff Barrett et l'équipe de Caught by the River. À Sarah Crown et à Arts Council England. À la Société des Auteurs et à la Société royale de littérature. À l'Alliance de fiction du Nord.

À ma famille et à mes amis, et à ma femme, Adelle Stripe.

L'essentiel d'*Au Large* a été écrit à la main dans des bibliothèques, avec un stylo et du papier. Ce livre est dédié aux bibliothécaires de par le monde, aux libraires, aux enseignants et à ceux qui nourrissent une passion commune pour le pouvoir du mot écrit.

14234

Composition
NORD COMPO

Achevé d'imprimer à Barcelone
par CPI Black Print
le 9 septembre 2024

Dépôt légal septembre 2024
EAN 9782290408810
OTP L21EPLN003762-637175

ÉDITIONS J'AI LU
82, rue Saint-Lazare, 75009 Paris

Diffusion France et étranger : Flammarion